甘いおしおきを君に

なかゆんきなこ

イースト・プレス

contents

一、

「……っ……あ……」

四方を白の帳《とばり》で覆われた寝台の上で、艶めかしい吐息《といき》が零《こぼ》れる。

絹のシーツに横たわりながら、ユーリは紫煙《しえん》を吐く小さな香炉《こうろ》を見つめていた。

頭がぼうっとする。手足に力が入らない。

だというのに、胸の鼓動は常よりも速く、身体が芯から熱を持っているようだった。

あの香炉の吐く煙のせいだ。

最初は良い香りがするなと思った。雨上がりの夜に咲いた満開のジャスミンの花を思わせる、甘やかで、しっとりと心地良い香り。うっとりと心が蕩《とろ》けてしまいそうな……。

けれどこの香を嗅《か》いでいるうちに、次第に身体の自由が利かなくなり、息が荒くなった。

思えばこの香炉に火をつけるとき、あの男は笑みを浮かべていた気がする。ユーリがこうなることをわかっていたのだろう。

「……は……ぁ……っ……ぁ……」

シーツの上に扇のように広がる自分の長い黒髪が汗ばんだ肌に絡みついて、鬱陶《うっとう》しい。鮮やかな緑色の瞳は涙で潤《うる》み、視界がかすむ。頬や目尻も熱を帯び、きっと赤く染まっているのだろう。

熱病に浮かされるような感覚がユーリを苛《さいな》む。

（……どう……して……）

どうして、こんなことになってしまったのだろう。

ユーリは胸にくすぶる不安をぎゅっと閉じ込めるように、身を縮ませた。


この春に十八歳になったばかりのユーリ・エインズワースは、フィリス王国の南端に位置するカルヴァートという町に生まれ育った。カルヴァートは多くの田園に囲まれた自然豊かな町だ。何もない田舎と揶揄《やゆ》されることもあるが、ユーリはこの緑多く素朴《そぼく》な、住人達の気性も穏やかで優しいこの町が好きだった。

幼い頃に母を亡くし、花屋を営む父に男手一つで育てられ、けして豊かとは言えなかったけれど、この町でユーリは幸せに暮らしていた。

優しい父は、亡くなった母の分も慈《いつく》しみ育ててくれたし、毎日市場《いちば》から仕入れてくる綺麗な花々に囲まれた生活は穏やかで幸福だった。ユーリは進んで家の仕事をこなし、店の仕事も手伝った。

母親譲りの美しい黒髪に、白い肌。そして猫のように少し吊り上がった大きな緑の瞳が愛らしい、働き者の孝行娘。ユーリは町でも評判の、『エインズワース花店の看板娘』だった。

「……お前にはいつも、苦労をかけるな」

痛んだ指先にハンドクリームを塗り込む娘に、父は口癖のようにそう声をかけた。

仕事柄、冷たい水に触れることの多いユーリの手は常に荒れてしまっている。こまめにクリームを塗るのだが、すぐに水に触れてしまうのであまり効果は無かった。

花屋の仕事は華やかな印象が強いがその実、肉体労働が多い大変な仕事だ。市場から仕入れてきた大量の花を店の中に運び、種類ごとに分けて水あげの作業をするのはなかなかの重労働で、さらには花を入れているバケツの水も換えなければならない。たくさんの花が入ったバケツの水を換えるのはまた一苦労だ。

他にも、傷んだ花を取り分けたり落ちた葉を片付けたりと、花を美しく見せるためには手間がかかる。『エインズワース花店』は切り花の他に鉢植えの花や観葉植物も取り扱っているので、それらの世話もしなければならない。

「たしかに楽な仕事じゃないけれど、私、この仕事が好きだもの」

だから平気よ、とユーリは笑う。手をかけた花が綺麗に咲いているのを見るのがユーリは好きだった。そしてその花を買ってくれたお客さんが笑顔になるのを見るのは、もっと好きだった。花は人を笑顔にしてくれる。人の心を幸せにしてくれる。ユーリはそう信じていた。

辛いことも苦しいこともあるけれど、父と花とに囲まれた穏やかな生活はユーリにとってかけがえのないものだった。

そしてずっとこんな日が続くのだと、信じて疑わなかった。

しかし、そんな幸せな日々はある日突然終わりを迎える。

国中を襲った流行り病。ユーリの父もそれに罹患《りかん》し、治療の甲斐《かい》なく息を引き取ってしまったのだ。あまりにも早い、そして呆気ない別れにユーリは茫然《ぼうぜん》とした。

そして追い打ちをかけるように、さらなる事実が判明する。

悲しみを堪え、父の葬儀《そうぎ》を済ませた彼女に残されたのは、父が抱えていた借金だった。

いや、正確にはユーリの父が借りた金ではない。父は、とある友人の借金の保証人になっていたのだ。その人も父と同じ流行り病で急逝《きゅうせい》したらしい。友人に家族は無く、金貸しは証文を手に、唯一残った保証人の家族――ユーリのもとへとやってきた。

「こっちもこれで飯を食ってるんだ。耳を揃《そろ》えてきっちり返してくれないと困るんだよ」

「………」

つきつけられた証文を前に、ユーリはそこで初めて借金主を知り瞠目《どうもく》した。

そこには、ユーリも知っている父の友人の名が書かれてあったのだ。

かつてこの家で、父と友人が楽しそうに酒を飲んでいた姿が思い出される。

父がこの花屋を開くとき、なけなしのお金を貸してくれたのだというその友人は、郊外で花を栽培している農家のおじさんだった。借金取りが言うには、三年ほど前に嵐に見舞われ、育てていた花がみんなやられてしまったときに負った借金だという。

友人には父の他に頼める相手がいなかったらしい。「困ったときはお互い様だ」と、快く保証人を引き受けたのだろう父の優しい顔が、目に浮かぶようだった。

父が生きていたなら「しょうがないなぁ」と言って、友人を責めるでもなく、代わりに借金を返していっただろう。そういう人だ。そしてユーリもできることならそうしたいと思う。

保証人に名を連ねた以上、この借金は父の借金でもある。そして父亡き今、それを返す義務は自分にあるのだ。

けれども……

「どうしよう……」

ユーリの手元には、借金を返せるだけのまとまった金が無い。蓄《たくわ》えは父の治療代に費やし、父が病に倒れているあいだ花屋は閉めていたので収入はほぼゼロだ。

さらに言うなら、花屋の収入は元々親子がどうにか生活していくのにやっとの売り上げだった。ユーリが一人で花屋を切り盛りしながら細々と返していくとして、いったい何年かかることか。それほどの大金だった。元はそう大きな金額ではなかったのだろうが、利子がついて膨れ上がったらしい。もっとも、ユーリにもう少し法律の知識があれば、その利子が法外なものであると気付けただろうが。

「どうしたら……」

疑うことを知らない純真な娘は、この大金を返す算段で頭を悩ませた。

売れる物を売り、節約して売り上げから少しでも返済に充てるとして……

それでも借金を返しきるのにはやはり相当な時間がかかる。そう告げるユーリに、しかし金貸しの男は「そんなに待てない」と言った。「こちらにも生活がかかっている」と。

「お金は必ず返します！　……でも……」

すぐに返す方法が思い付かなかった。そんなユーリに、金貸しの男はにいっと下卑《げび》た笑みを浮かべた。

「返す金が無いなら、娼館《しょうかん》に身売りして金を作れ」

「娼館……」

娼館。そこは、女達が金と引き換えに春をひさぐ場所だ。

「そんな……」

「金は必ず返すと言ったろう。それとも、他に返すあてでもあるのか？　ないだろう。こんなちんけな店でいくら花を売ったところで返せる額じゃねぇだろうが！」

バン！　と。金貸しの男が証文をテーブルに叩きつける。

ユーリはびくっと肩を震わせた。

父の友人のように、天災に見舞われて困窮《こんきゅう》した農家の娘が娼館に身売りをする、という話はユーリも聞いたことがある。経営が行き詰まった商家の妻や娘が……、という話もだ。けれど、まさか自分が同じ立場に追いやられるとは思いもしなかった。

金と引き換えに、たくさんの男達に身体を売る。考えるだけで、恐怖と嫌悪に身が竦《すく》んだ。娼婦《しょうふ》になんてなりたくない。でも……、でも……

身体を売る以外に、こんな大金を作る術《すべ》が自分にあるのだろうか？

唯一の家族を亡くした今、ユーリには他に頼れる親族はない。家族同然に付き合ってくれていた近所の人や町の人も、それぞれが自分の家族を守るのに精一杯の暮らしをしているのだ。頼ることはできない。迷惑をかけたくない。

自分にはもう己の身を売るしか方法は無いのかもしれない。

「……っ。……わかりました」

ユーリはぎゅっと唇を噛んで、その提案に頷いたのだった。


使い古したブリキのバケツと作業台だけが残る、ガランと片付いてしまった店内を見て、ユーリは深いため息を吐いた。

借金を返すために、ほとんどの家財は売り払った。この店も売りに出しているから、いずれ誰かの手に渡るだろう。自分に残ったのは、小さな鞄に詰めたわずかな服と身の回りの物だけ。

これからユーリは町を離れ、馬車で五日ほど行ったところにある港町の娼館に身を寄せることになっている。家財や店を売り払っても返済できない借金を、この身で返すために。

金貸しの仲介が話をつけてきたという娼館の主は、ユーリの年齢や外見、さらには男性経験が無い——処女であることに色をつけ、大金でユーリを買ってくれたらしい。それを借金の返済に充てて数年娼館で働けば、きっと完済できるだろう。

「……ごめんね、お父さん……」

父の残してくれた花屋を守ることができず、最後にはこの身を売るという選択をした娘のことを、父はきっと嘆き悲しむだろう。けれど……

「私、頑張るから……！」

なんとしてでも借金を返済し、何年かかってでももう一度『エインズワース花店』を再開させるのだと、ユーリはかつて父が花束を作るのに使っていた作業台を撫《な》でて決意した。たった一つだけ持っていく鞄の中には、父の形見である鋏《はさみ》も入れておいた。いつかこの鋏を使う日のために。

そうしてユーリが店との別れを惜しんでいたとき、カランカランとドアベルが鳴り、閑散とした店内に誰かが入って来た。

「……失礼しますよ」

「あ……。すみません。店はもうやって……」

伏せていた顔を上げ、その人物の顔を見上げたユーリは思わず「あっ」と声を上げた。

見上げるほどの長身、痩《や》せた身体にコートを纏《まと》う若い男。

雪のように白い髪は目にかかるほど長く、紅玉を嵌《は》めたような赤い双眸《そうぼう》の一つを片眼鏡で隠している。眼鏡から伸びる金鎖が、ゆるやかな曲線を描いて男の肩口に垂れていた。

その特徴的な髪の色と瞳には覚えがある。

「まさか……。ルーファス……？」

「ええ。お久しぶりですね、ユーリ」

その男は、十年ぶりに再会したユーリの幼馴染みだった。

ルーファス・ブラックフォード。かつて町外れで医院を営んでいた医者の息子で、ユーリより二歳年上である。

生まれつき白い髪と赤い瞳を持っていた彼は、体つきもひょろっとして力も弱かったため、兎《うさぎ》のようだとからかわれ、幼い頃はいじめっ子達にとって恰好《かっこう》の獲物となっていた。

見かねたユーリが彼を庇《かば》っていじめっ子達の前に立ちふさがるのはしょっちゅうで、拳を握って撃退することもあった。

しかしそのたびにルーファスは、涙ぐんだ瞳でキッとユーリを睨みつけ、「よけいなことするな！」と怒るのだ。

いじめっ子達から助けたのに怒られる。それにむっとするものの、やはり苛められている姿を見ると放っておけなくて、彼が十歳になった年——彼が両親と共に引っ越していってしまうまで、ずっとそうやってルーファスを庇っていた。

しかしあれから十年が過ぎ、久しぶりに顔を合わせた幼馴染みはすっかり変わってしまっていた。細身であるのは変わりないが、かつて同じくらいにあった目線が今はもう随分と高い。女の子のようだった顔立ちは精悍《せいかん》になり、理知的な美青年と言って差し支えの無い男になっていた。

「びっくりした……。いつ、町に帰って来たの？」

「一週間ほど前に。またこの町で医院を開くことになったので」

「へえ……！　あ、おじさんとおばさんも一緒に？」

ルーファスの両親には幼い頃に何度もお世話になった。おじさんは無口で少し怖いけれど立派なお医者様だ。体調を崩して診察を受けるたび、自分は何か大変な病気にかかったのではないかと思い詰めるユーリに心配ないと言って、頭を撫でてくれた。いつも気難しげに引き結ばれた口元が、にっと弧を描いて笑う。その笑顔を見るだけでもう、ユーリは安心してしまうのだった。おばさんはいつも笑顔の優しい人で、苛められて泥だらけになったルーファスの手を引き彼の家に送っていくと、「まあまあ、ありがとう」とユーリに微笑みかけてくれ、美味しいお菓子までご馳走してくれた。

懐かしい思い出に、ユーリは笑みを浮かべる。

「両親はロダンに残りました。帰って来たのは私だけです」

ロダンとは、隣国にある学術都市だ。大陸中の英知がそこに集まると言われている。十年前、ルーファスの父がロダンの学校で教鞭《きょうべん》をとることになり、一家揃って引っ越したのだった。

ルーファスがこの町で再び医院を開くということは、彼もまたロダンで医術を学んだのだろう。

「お医者様になったんだね。ルーファス」

「ええ、まあ。……そしてあなたは、娼婦になるそうですね」

「っ……!」

娼婦。ルーファスの口から吐かれた言葉に、ユーリの胸がずきっと痛む。

その道を選んだのは自分なのに、幼馴染みの侮蔑するような視線に身が竦んでしまった。

「……どうして……」

「町中の噂になっていますよ。『エインズワース花店』の娘が借金のために身売りすることになったと」

ユーリは泣きたい気持ちになった。

そんなに噂になっているとは知らなかった。

次にこの町に帰って来るときには、自分はもう娼婦なのだ。慣れ親しんだ町の人達に、そういう目で見られるのは辛い。この町には、もう戻れないかもしれない。

「……うん……。これから、娼館に行かなきゃいけないの……」

十年振りに再会した幼馴染みと、もっと話したいこともあった。

けれど、出発が遅れれば先方を待たせることになる。何より、ユーリ自身ここを離れるのが辛くなってしまう。

「ごめんね、ルーファス。もう行かなきゃ」

にっこりと、無理やり笑みを作ってユーリは立ち上がり、ルーファスに別れを告げた。

この家を出る前に、最後に懐かしい人に会えて嬉しかった。

せっかく来てもらったのにすぐに追い返すようなことになって申し訳ないと詫びながら、扉の外へ促《うなが》そうとしたとき、ぱしりと後ろから手を掴まれた。

「え……？」

ルーファスだった。

彼は不機嫌そうな顔で、ユーリの手を掴んで離さない。

「行く必要はありませんよ、ユーリ。あなたは私の妻になるのだから」

「は……？　え？　つ、妻……？」

あまりにも突然な言葉に、ユーリはその大きな瞳をさらに見開いた。

「あなたの借金は、私が代わりに支払います。だから娼婦になどならず、私の妻になりなさい」

「ええ!?」

まさか娼婦になるために旅立つその日に、幼馴染みから命令系のプロポーズを受けようとは、夢にも思わなかった。

「ど、どうして……」

幼馴染みといえど、十年も会っていないような相手に、どうしてルーファスがそんなことを言うのか。

「頭の悪い人ですね」

はあ……と、ルーファスがため息を吐く。

いや、ため息を吐きたいのはこちらなのだが、とユーリは眉を寄せた。

「娼婦になるか私の妻になるか、選ぶ余地も無いでしょう。それにあなた、昔言っていたじゃないですか。『お医者様のお嫁さんになりたい』って」

「子供の頃のことだよ!?」

小さい頃、ユーリはルーファスの父に憧れていた。病気をあっという間に治してくれるおじさんが、魔法使いのように思えたのだ。それで、『お医者様のお嫁さんになりたい』というようなことをルーファスに言ったような気もする。だがそれは、子供がよく口にする他愛のない戯《ざ》れ言だろう。

「それとも、複数の男に抱かれる方がお好みですか？　十年の間に、随分と淫乱《いんらん》に育ったものですね」

「いっ……!?」

淫乱!?　あんまりな言葉に、ユーリの頬が怒りと羞恥《しゅうち》に染まる。

しかしルーファスはそれを無視し、懐から何かを取り出した。

「さあ、この紙にサインなさい」

またもや命令口調で、ユーリの目の前に羊皮紙がつきつけられた。『結婚誓約書』と書かれたその紙の夫の欄には、すでにルーファスの署名があった。

「え？　ええ……!?」

「書き終わったら、金貸しのところに行きますよ」

「ええええええ!?」

かくしてユーリ・エインズワースの平穏な日々は終わりを告げた。

彼は結婚誓約書に半ば無理やりサインさせた後、ユーリを連れて金貸しのもとへ行った。そして言葉どおり、ユーリに代わって全ての借金を返済したのである。証文はユーリの目の前でルーファスの手元へと渡り、この証文と結婚誓約書がある限り、ユーリは自分のものだと満足そうに片眉を上げた。

ユーリは金で彼に買われたのだ。買い手が、娼館の主からこの幼馴染みに変わっただけ。

その日のうちに、ルーファスは結婚誓約書を領主の館に提出し、二人は夫婦と認められた。

その後ユーリが連れ込まれたのは、かつてブラックフォード家が医院を営んでいた町外れの館だった。長く空き家だった館の外観はボロボロで、とても人が住んでいるようには見えない。けれども中はかろうじて人の手が入っていたようで、ユーリが通されたルーファスの寝室――これからは二人の寝室になる――も、その続きの間にある浴室も清潔に保たれていた。

ユーリがまず求められたのは、浴室でその身を綺麗に清めること。戸惑いながらも、借金の証文をちらつかせられた彼女はおずおずと浴室に入り、陶器でできた猫足のバスタブに浸かり、花の香りのする石鹸《せっけん》で身体と髪を洗った。

湯を浴びる前、ルーファスにワンピース型の夜着を手渡されていた。肌触りの良い白い絹でできたそれは、胸の前で結ぶリボンを解けばあっさりと胸元が開かれてしまうようなデザインのものだ。裾も下へいくほど生地が薄くなるように作られていて、ユーリのしなやかな脚の形が透けて見えてしまう。それを纏って寝室に戻ると、くすっと笑ったルーファスに寝台で待つよう言われ、彼は続きの部屋へ行った。

ユーリはまじまじと寝台を見つめた。

天蓋《てんがい》付きの大きな寝台だ。重厚な黒い鉄製の骨組みはとても頑丈そうで、ふわりと柔らかそうな純白の天蓋布に覆われていて、近付いてよく見れば、帳には金糸で細かな刺繍が施されていた。

そして夜着と同じく、シーツや寝具は全て絹でできている。こちらも繊細な刺繍模様が美しい。

まるで貴族の館のようだと、ユーリは不思議に思った。

ユーリの借金の件といい、いったいルーファスは今どんな暮らしをしているのだろうか。

見るからに高級な寝台に上がるのを躊躇《ちゅうちょ》しているうちに、続き部屋からルーファスが戻った。

その手に、小さな香炉を持っている。

ルーファスはサイドテーブルにその香炉を置くと、マッチを擦って火をつけた。

艶やかな黒い陶器でできたその香炉には、赤い染料で柘榴《ざくろ》の実が描かれている。その実がやけに毒々しく見えて、ユーリは無意識のうちに自分の肩をぎゅっと抱きしめていた。

しばらくすると、小さく開いた穴から紫がかった白煙が立ち上る。

「……」

ルーファスには寝室に香を焚《た》き染める趣味があるのだろうか？

でもたしかに良い香りがする。緊張が少しだけ和らいだ気がした。

「大人しく待っていてくださいね」

香炉にはけして触れず、寝台の上で待っているようにとユーリに言いつけて、ルーファスも浴室へ向かった。

「…………」

一人残された寝台で、ユーリはそわそわとあたりを見回した。

流されるまま、こうして寝室に連れ込まれてしまったけれど、本当にそれで良かったのだろうか？

湯を浴び、寝台で待たされる。そしてルーファスが今、湯を浴びている。

それの意味するところがわからないほど、ユーリは子供ではない。ルーファスはこれから、ユーリを抱こうとしているのだ。

「……ルーファスに……抱かれる……？」

娼婦になると決めたときから、覚悟はしていた。けれどいざ、自分がルーファスとそういうことをするのだと思うと、尻込みしてしまう。

「む、無理……！」

ユーリは顔を真っ赤にして、首を横に振った。

心が酷く落ち着かない。

「……うん」

今からでも遅くない。結婚をとりやめ、代わりに下働きでも何でもして、ルーファスにお金を返していくというのはどうだろうか。

ルーファスから、たくさんの男達に抱かれる怖さをこんこんと説かれて、覚悟していたはずなのに気持ちが竦んでしまい、そして縋るように結婚誓約書にサインしてしまったが、結婚はやはり想い合った男女がすべきではないだろうか。

ルーファスが何を思って自分を『妻』にしたのかはわからないが、まさか自分を好いてくれているはずはないだろう。ユーリの記憶の中にあるルーファスは、彼女に対していつも怒っていた。

『ユーリのおせっかい！　ぜんにんづらするな！』

かつてルーファスに吐かれた悪態の数々を思い返し、ユーリはうんうんと頷く。自分は彼に嫌われていたに違いない。そういえば、『ぶす！』と言われ、思い切り顔を背けられたこともあった。

その気持ちが十年会わない間に良い方向へ変わったとは思えない。もしかしたらこれは、嫌がらせの一つなのかもしれない。

いったい彼は何を考えているのか、その心のうちが読めないのもまた、不安だった。

「…………よし」

やっぱり、断ろう。

そう決意して立ち上がろうとしたとき、ユーリは身の異変に気付いた。

「……え……？」

身体の自由が利かない。両足は痺《しび》れたように力が入らず、立ち上がることができないのだ。

それは両手も同じだった。ただ持ち上げる、それだけの動作に酷く時間がかかり、白い指先は凍えるように微かに震えている。

はっと、ユーリは香炉に視線を向けた。

「まさか……」

仄《ほの》かな紫色の煙の筋がゆらゆらと歪んで見える。つう……と、嫌な汗がユーリの頬を伝った。肌は冷たく感じられるのに、身体の内側が徐々に熱を持ち始めていた。

くらりと眩暈《めまい》がして、ユーリは力なく寝台に倒れ伏す。

「……っ！」

枕の角《かど》がユーリの胸に触れた。それだけで、ぴりっとした痺れを感じる。

「……っ……は……ぁ」

唇から零《こぼ》れる息が、熱い。

緑色の瞳が、涙で潤んでいく。

（……こ……れは……）

ユーリは悟った。この甘い香りのする煙は、嗅いだ者の身体の自由を奪い、そして熱く昂ぶらせる『媚薬』なのだと。

「……お待たせしました。ああ……だいぶ薬が効いてきたようですね」

さっ、と帳の開く音がしてユーリの視界に現れたのは、この日夫《おっと》となったばかりのルーファスだった。

湯を浴びたばかりの濡れた身体にガウンを羽織っただけの彼の姿は、あわせ目から覗く胸板が妙に艶めかしい。女のそれよりも白い肌が、うっすら赤く上気している。

ぎしっ……と寝台が揺れ、花の香りが近付く。ユーリが身体を洗ったのと同じ石鹸の香りだ。

涙で潤むユーリの視界に、鮮やかな赤い瞳が迫ってくる。

このときようやく、彼の顔から片眼鏡が外されていることに気付いた。

幼い頃はただただ綺麗だと思った赤い瞳。その瞳が今は爛々《らんらん》と輝き、とても恐ろしく感じられてじりじりと顔を背けた。

しかし、それを許すまいとするかのように、彼は上気するユーリの頬を撫で、自分の方へ向ける。

「ふあっ……」

温かな手の感触に、ユーリは思わず身を震わせた。

じくじくと身体を蝕む熱が辛い。そしてわずかに触れられただけでも反応してしまう身体が、さらなる刺激を求めている。それがますます恐ろしかった。

恐怖を覚える彼女の目の前で、ルーファスはくつくつと喉で嗤う。

「ちゃんと言いつけどおり、大人しく待っていたんですね」

「……ぅ……」

言いつけどおりも何も、おかしな香を使って逃げられないようにしたのはルーファスだ。

「良い子ですね。良い子には、ご褒美をあげましょう」

「んん……っ」

ルーファスの端正な顔が間近に迫り、唇を塞がれる。

最初は触れるだけのキスだった。しかし、ちゅ……と音を立てて一度身を離したルーファスは、再度その小さな唇に触れてくる。

「！」

熱い舌が、ユーリの口内にねじ込まれた。

歯列をなぞり、ユーリの小さな舌を舐め上げて唾液を吸う。それがまるで甘い蜜であるかのように、美味しそうに音を立てて。ちゅ……じゅぷ、と舌が絡みついてくる。その淫らな水音が、ユーリの耳を犯した。

「ん……っ」

何度も角度を変えて、激しく求めてくる。ユーリはただ強引に舌をねぶられ、されるがままだ。

「ふあ……っ」

口の中を蹂躙《じゅうりん》されるような初めての感触に慣れないユーリが苦しげに喘ぐと、ルーファスはようやく唇を離した。

「キスをしているときは、鼻で息を吸いなさい」

ぎゅっと、ルーファスの長い指がユーリの小さな鼻をつまむ。

「い……っ」

思わず強く睨み上げるユーリの視線を、しかしルーファスは微笑を浮かべたまま受け止める。

「覚えないと、苦しいのはあなたですよ」

ほら、もう一度、と。ルーファスの唇がユーリの赤く濡れた舌を絡め取る。

「んんっ……」

「……っ、んっ」

くちゅり、じゅぷ……。わざと音を立てて舌を吸うルーファスの口付けを、ユーリは教わるがまま鼻で息をし、必死に受け入れた。

（……なに……これ……）

深いキスに、頭が蕩けてしまいそうだった。

舌で舌をねぶられるだけで、快感がぞくぞくと背筋を走る。

「……っん。……ユーリ、舌を出して」

「……?」

「こうです……」

ベーっと舌を出してみせるルーファスに倣《なら》い、ユーリは言われるがまま小さな舌を出す。

その従順な様子に、ルーファスは「おりこうさんですね」と満足気に囁いて、その小さな舌にむしゃぶりついた。

「んうっ」

「……んっ」

ひとしきり口内を犯されたユーリがふっと息を吐くと、ルーファスの舌はユーリの頬をぺろっと一舐めし、徐々に首筋へとその舌先を這わせていく。

熱い舌先で上気した肌の上を嬲《なぶ》り、時折、固い歯でくっと肌に噛みついてくる。

「あうっ……」

噛まれてぴりっと痺れる肌の上を舌先でつつ……と舐め上げられ、ユーリの口から艶めかしい声が漏れ出した。

香の影響で熱を帯び、ささいな刺激にも身体は敏感に反応してしまっていた。

なすすべもなく快楽に身悶えていると、ルーファスはにっと口元を笑ませ、ユーリの身を包む夜着の紐《ひも》を解く。

はらりと音を立て、胸元が開かれた。露わになった白い丘陵の頂には、二つの蕾《つぼみ》がぷっくりと勃《た》ち上がっている。

「ひゃあ……っ、だ……だめ……」

「何が駄目なんです？」

「み、見ないでぇ……」

必死に手で胸元を隠そうとするその抵抗は、ルーファスの嗜虐《しぎゃく》心を煽るだけだった。

「可愛いですね、ユーリ」

抵抗をものともせず、ルーファスは彼女の両手を片手で拘束し、頭の上で押さえつける。万歳をするような恰好で胸が露わになり、ユーリは思わず顔を逸らした。恥ずかしくて死んでしまいそうだった。

しかしルーファスは、良い眺めだと満足気に目を細めるばかりで、ゆっくりとユーリの胸に顔を埋めてくる。

「……っ」

どくんどくんと波打つ心臓の音が、薄い肌越しにルーファスにも聞こえてしまうのではないかと、ユーリは身をよじった。

「ぅ……ぁっ……」

けれど、ルーファスはまるで甘いお菓子に飛び付く子供のように、夢中になってユーリの胸にむしゃぶりつく。

「あっ……ゃあ……っ」

骨ばった細い指先が、クリクリと勃《た》ち上がった蕾を捏《こ》ねくり回す。

時折カリっと引っ掻かれるたびに、ユーリの口から鼻にかかったような甘い声が漏れた。しばらくすると、やわやわと胸を揉《も》まれ始める。くすぐったいような、もどかしいような感覚に流されそうになるのを、唇を噛んで必死に耐えた。

唇で頂を舐められ、吸われ、媚薬のせいで敏感になった身体はそのたびにぴくぴくと反応してしまう。

「…あ……あああ……」

触れられ、嬲られているのは胸なのに、下腹の奥で生まれた火が燃え広がるように、快感が全身にまで広がっていった。

熱く、じんじんと痺れるような感覚が股の奥にある。ドロワーズがじわっと濡れているのがわかり、羞恥に頬がかっと赤くなった。

その時、

「ひっ……」

胸の蕾を弄《いじ》っていたルーファスの指が、ユーリの秘所をドロワーズの上からなぞる。

「……ああ、こんなに濡らして。ユーリは本当に、淫乱に育ってしまいましたね」

「……っ」

くっと、口元を歪めてルーファスが嗤《わら》っている。涙で潤んだ瞳越しに見る彼の赤い目は、まるで獲物を前にした肉食獣のようにぎらぎらと輝いていた。それが酷く恐ろしく、心が竦んでしまう。

だというのに、身体はその意志に反してさらに熱を増すのだ。

くちゅり。

「あぁっ……」

ドロワーズの隙間からさし入れられた指が、すでにしとどに濡れそぼつそこをさらに侵略していく。視界が白むような快感をユーリは初めて知った。

「ほら、こんなに蜜を吐いて。ごらんなさい、あなたが淫乱な証拠です」

蜜壷から抜いた指先を、ルーファスはユーリの眼前に押し付けた。

ルーファスの骨ばった細い指を濡らす蜜が、糸を引いて零れ落ちる。

彼は羞恥心に頬を真っ赤に染めるユーリの前で、見せつけるようにその指先に舌を這わせた。

とろりと、ルーファスの舌の上に蜜が載る。それをゆっくりと口に含んで、彼は残りの蜜も残さず舌で舐めとり、丁寧に自分の指をしゃぶった。

ちゅぷ……ちゅぷり……。ユーリの蜜とルーファスの唾液とが混ざり合い、淫らに彼の指を濡らす。

「……やめ……」

「ん……。あなたの蜜は甘いですね。まるで私を誘っているようだ」

ちゅ……と、わざと音を立てて自分の指から唇を離すルーファスは、言葉でユーリを責め苛む。

「ちが……」

誘ってなどいない。自分の身体がこうなってしまったのは、あの香のせいだ。そしてルーファスのせいだ。だというのに、彼はユーリを見て笑うのだ。彼女自身が淫らだと言って、心まで責め立てる。

ユーリは違う、違うと首を振った。

けれど今のルーファスの目には、自分は淫らな娼婦としてしか映っていないのかもしれない。それが、ユーリにはなぜか悲しかった。

「ふふ……。いやらしいユーリ。もっと、もっと……気持ち良くしてあげますよ。他に何も、考えられなくなるくらい」

頭の上で拘束されていた両手が解放される。

ルーファスはユーリのドロワーズを取り去り、寝台の外へ投げ捨てた。

薄暗い寝室の中、仄かな灯りにユーリの裸体が晒《さら》される。

まだ男を知らない無垢《むく》な身体がいよいよ暴かれるのだ。恐怖に震えるユーリを見下ろしながら、愉快気に微笑むルーファスが酷く恐ろしかった。

彼はユーリの太股《ふともも》を摑んで広げると、ゆっくりと彼女の薄い茂みへと顔を埋める。

「ひゃあぁ……っ」

ぴちゃりと音を立てて、ルーファスの舌が割れ目をなぞる。びりびりと電撃のような快感が走り、ユーリは喘いだ。

「やっ……ああ……」

快楽に抗うようにルーファスの肩を押しのけようとするが、ほとんど力の入っていないユーリの抵抗など空しいもので、ルーファスは容赦なくその舌先でユーリの蜜壷を犯していく。

ずぷ……じゅぷっ……。抜き差しする舌が奥から溢れてくる蜜を吸い上げる。

そうして、己の口内で絡めた蜜をさらに擦りつけるように、肉壁を嬲るのだ。

「あっ……あぁっ……」

いやいやと、ユーリは必死に首を振る。

何かがくるような感覚があった。

身体の奥から込み上げてくる何かが、この身体から解き放たれようとしている。それが無性に怖くて、無駄だと頭ではわかっていても抵抗せずにはいられなかった。

「いや……いやぁ……」

「……下の口は『もっと』と言っていますよ？　嘘つきですね、ユーリ」

蜜壷に顔を近付けたまま、ルーファスは低く囁いた。濡れそぼつ秘所に熱い吐息がかかり、それだけで震えてしまう。そして……

「ひあっ」

ルーファスの唇が、一番敏感な花芯を食んだ。

舌でねぶり上げ、歯で甘噛みされる。

「アアッ！」

刹那、痺れるような快感に身体を震わせて、ユーリは初めての絶頂を迎えた。

一瞬、視界が真っ白になって、何も考えられなくなる。

はぁ……はぁ……と荒い息を吐きながら、ユーリは茫然と天幕を見上げた。

自分の身体に何が起こったのか、頭の理解が追い付かない。

男女の交わり。子供を生すために必要な行為で何をするのかは、知識としてユーリもひと通り知っていた。

だが、それがこんなにも恥ずかしくて、そして気持ち良い行為だとは知らなかった。

それとも、初めての交わりでこんなふうになってしまう自分はやはり、ルーファスの言うように『淫乱』なのだろうか。

（……ちが……う）

ユーリは靄のかかる意識の中で必死に否定した。

この甘い香のせいだ。この香りを嗅いでから、自分の身体はおかしくなったのだ。

そしてルーファスのせいだ。ルーファスが自分を、こんなにも淫らに乱すから。

「……っ」

力の入らない身体で、瞳だけはルーファスを睨みつけるが、目の前の男はただ満足気に笑っている。

「…………言っておきますが、これで終わりではありませんよ」

ルーファスはゆっくりと、身に纏っていたガウンを脱ぎ捨てる。

露わになった彼の意外に逞《たくま》しい裸体。白い肌に浮き出る筋肉の質感が、まるで彫刻のように美しい。思わず見惚れてしまったユーリは、しかしその視線を下に移して――

「ひっ……」

恐怖の声を上げた。

その美しい顔とは裏腹に、勃ち上がった凶悪な肉棒にユーリは息を呑む。

これからその凶器が、自分のナカに突きたてられることを知識としては知っていた。

（……む、無理…………）

あんなに大きくて太いものが、自分の中に入るなんてありえない！

絶対に、痛い。怖い。嫌だ……。というか無理だ！

けれどもルーファスは、怯えるユーリを宥めるでも慰めるでもなく、ただただ嗜虐の笑みを浮かべるだけ。

「やだ……なんでこんなことするの……」

「結婚した夫婦が身体を重ねることの何がおかしいんです？　それに、あなたばかりが気持ち良くなっては不公平でしょう？　ねえ、ユーリ」

ルーファスの指先が、弄ぶようにユーリの足をつつ……となぞる。そしてゆっくりと開かせ、内ももに唇を寄せた。

「んっ……ぁ……」

汗ばんだ肌の上を、熱い舌が滑っていく。

絶頂を迎えたばかりの身体は、舌先で舐められ、甘噛みされる度にぴくぴくっと反応してしまう。そして触れられてもいない蜜壺が、きゅんと疼いた。

「……ぁあ……」

「……ふふ」

最後に見せつけるように舌を這わせてから、ルーファスは再び身を離し、屹立する雄に手を添えた。

「あうっ……」

ずる……っと、蜜で濡れそぼった薄い茂みに、熱いモノが触れる。

にゅるにゅると割れ目を擦るルーファスの肉棒は、ユーリの想像以上に硬かった。

こんなものに貫かれたら、どれほど痛いだろうか。ユーリの心が恐怖に竦む。

「いやぁ……」

「聞きわけのない人ですね。そんなに私が嫌なら……」

むちゃくちゃに首を振り、あくまでルーファスを拒むユーリに気分を害したのか、ルーファスは彼女の身体から一度離れると、寝台の脇にある棚の引き出しから何かを取り出した。そしてそれを、見せつけるようにユーリの眼前に晒す。

「ひっ……」

声を引き攣らせたユーリの目がぎょっと見開かれる。ルーファスが手にしているのは、黒光りする棒——男性器を模した張形《はりがた》だった。

「言うことを聞かない悪い子には、これでおしおきしなければなりませんね」

ルーファスは笑みを浮かべながら、その張形をユーリの頬にぴたりと添えた。ひんやりと冷え切った硬いそれは、ユーリの恐怖をさらに煽る。

彼は脅しているのだ。血肉の通わない道具で処女を奪われるのがいいか、彼自身に奪われるのがいいか選べと。

「……ユーリ？」

「ぅ……うう……」

優しい声音がユーリに選択を迫る。追い詰められた彼女は泣きながら、ルーファスの肉棒に手を伸ばした。

「よくできました」

ちゅ……とユーリの頭に口付けると、ルーファスは張形を寝台の外に放り投げて、再び腰を密着させる。

「大丈夫。痛いのは最初だけです。私がちゃんと躾《しつ》けてあげますからね」

「ひっ……ぁ……ああ……」

屹立《きつりつ》した肉棒を擦りつけられ、ユーリの身体が再び熱を帯びてくる。

じんじんと痺れるように下腹の奥が疼く。恐怖に竦む心とは裏腹に、ユーリの身体はさらなる刺激を求めていた。

「……っ」

ルーファスはしばらく焦《じ》らすように、肉棒の先でユーリのしとどに濡れた花びらを撫でる。そして息を吐き、滾る己の欲望に手を這わせ、ゆっくりと蜜壷にあてがった。

ユーリの蜜を擦りつけた先端が、ぐちゅ……と蜜壷を守る花びらと花びらの間に触れた。

「……挿《い》れますよ……」

「っ……い……いや……」

自分ですら触れたことのない場所に、硬いモノがあてられている。それで貫かれたら、自分は壊れてしまうのではないか。もはや他のことを考える余裕はなく、ユーリの頭を恐怖だけが占める。

「やだ……やめて……ルーファス……」

ユーリは、必死に首を振り抵抗した。

しかし、ルーファスは恍惚《こうこつ》の表情を浮かべ、容赦なく腰を進める。

「……っ」

「っ……は……!?　や、やぁあああッ！」

ずくん！　と、挿し入ってきた凶器。

ギチギチと肉の裂けるような痛みに一瞬息ができなくなり、ユーリの瞳からボロボロと涙が零れ落ちた。

それまで与えられた快楽が全て吹き飛ぶような痛みだ。

「ひ……っ。い……痛い……」

太股の間を、蜜とも違う何かが伝っていく。

「……ユーリ……。ああ、血が出てしまいましたね」

「……い……痛い……ぃ……」

ぼろぼろと涙を零す少女の小さな身体を、ルーファスはそれまでになく優しい手つきで抱きしめた。宥めるように頭を撫で、零れる涙を唇で吸い取る。

「大丈夫……。大丈夫ですよ……」

それは、この閨《ねや》で初めて彼が見せる優しさだった。

ルーファスはユーリの気持ちが落ち着くまで、根気よく頭を撫で、髪を梳き、頬を撫で、触れるだけの甘い口付けを幾度となく贈った。

「……ひっく……うう……」

ユーリの表情から少しずつ恐怖が和らいでいくのを見てとると、ルーファスはゆっくりと腰を動かし始めた。

「ん……んぁ……っ」

それまでの一方的で容赦の無い責めとは違い、ユーリの反応を窺うようにゆっくりと挿し入っては引き抜きを繰り返す。

「……くっ……」

（……ルーファス……？）

涙で潤む視界に、眉根をくっと寄せたルーファスの顔が映る。

それまで嗜虐的な笑みばかりを浮かべていた彼の余裕の無い表情に、ユーリの心がとくんと脈打つ。

「……っ……ユーリ……！」

「っ」

名前を呼ばれる。それだけで、身体がじゅんっ……と疼いた。

媚薬のせいだろうか？　まだ痛みはあるのに、ユーリの身体は再び快楽に震え始めた。

「あっ……あっ……ああっ……」

くちゅっ、くちゅっと、音を立てて蜜壷を突かれ、責められる。

ルーファスの肉棒で花芯を擦られると腰が疼き、もっと、もっとと、身体は貪欲に快楽を求めてしまう。

ユーリの細い腰が無意識に動き始めたのを確認すると、それまでゆっくりとした挿入を繰り返していたルーファスがにやりと笑んだ。

そして……

「ひゃあ……んっ」

両手でユーリの太股を摑むと、ずんっ……！　と深く腰を突き入れた。

奥を突かれる快感に、ユーリは思わず甘やかな啼《な》き声を上げる。

「ふふっ……。今の声、とっても可愛らしいですね」

「あ……っ……ああっ……」

「もっと……啼かせたくて……たまらなくなる……」

「ああ……っ……んっ……んんぅ……っ」

挿入の間隔が速まる。激しく腰を打ちつけられて、ユーリはもう何も考えられなくなっていた。

身体の最奥から込み上げてくる何かが、ユーリをぞくぞくと震わせる。

視界がまた白く染まっていくような気がした。びくびくと下肢が震え、力が抜けていく。気を抜けば意識ごと持っていかれそうな、そんな感覚だった。

「あ……あぁッ！」

一声啼いて、ユーリは二度目の絶頂を迎えた。

びくびくと、ルーファスの肉棒を包む肉壁が痙攣しているのがわかる。彼を離すまいとするかのように、締めつけているのも。

「くっ……。ユーリ……」

ルーファスの腰の動きが止まり、何か熱いモノが注ぎ込まれる感触があった。

「は……あ……はぁ……っ」

心臓が痛いほど早鐘を打っていた。

自分の吐く息をどこか遠くから聞いているような感覚を覚えて、ユーリはぶるりと震える。

「ルー……ファス……？」

ルーファスの顔が切なげに歪んでいる。

苦しそうなその顔はまるで、泣くのを必死に堪えている幼い子供のようだった。

ユーリは朦朧《もうろう》とする意識の中、彼の頬に手を伸ばした。

「……ルーファス……」

しかしその手が彼に触れる前に、ユーリはふっと意識を失ってしまった。

二、

早朝に開く市場で花を仕入れる職業柄、ユーリは早寝早起きが身についている。その日も彼女は、空が白み始める頃合いに目を覚ました。

「……んん……？」

やけに身体がだるかった。それだけでなく、重い。

自分の上に何かがのしかかっているかのようなその重みに、ユーリはゆっくりと寝がえりを打って、絶句した。

男が、生まれたままの姿で、自分の身体を抱きしめて眠っていたのだ。

（ルーファス……！　そうだ私、昨日ルーファスと……）

昨夜彼にさんざん弄《もてあそ》ばれた記憶が甦り、ユーリは羞恥で顔を赤く染めた。

恥ずかしさで人が死ねるなら、自分は間違いなく即死している。

「うう……」

ユーリは思わず両手で顔を覆った。

自分もまた、彼と同じく生まれたままの姿だった。指の隙間からちらりと窺えば、シーツはこの上なく乱れていて、その上に互いの体液の残滓《ざんし》や破瓜の証が付着している。とても直視できず、目を背けた。

夢であればいい、と思う。けれども腰と下腹部の鈍い痛みが、その願いから現実へ引き戻す。

せめて彼が目を覚ますまでに、何か身に纏《まと》おう。

見回してみると、帳の向こう、絨毯の上にユーリの夜着とルーファスの着ていたガウンがくしゃくしゃになって床に落ちていた。

ユーリは夜着を着ようと、自分の腰をしっかりと摑んで離さないルーファスの腕から逃れるため、身を起こそうとお腹に力を入れた。そのとき、
ぐうううううううううううううう！

「あっ」

盛大にユーリの腹の虫が鳴る。

そういえば、昨夜は結婚誓約書を届け出た後すぐにこの屋敷に連れ込まれて、そのまま彼に抱かれて気を失ってしまったから、何も口にしていなかった。

だからといって、あんな目にあった翌朝に、こんな間抜けなことがあるだろうか。

「うう……」

自分の腹のあまりにもな正直っぷりと空腹とに、脱力し蹲《うずくま》る。

「くくっ」

背後から響く笑い声にぎょっとして身を起こす。すでに起きていたらしいルーファスが涙を浮かべて笑っているではないか。

「起きていたの!?」

「ええ、まあ。随分色気のない目覚めの挨拶でしたね」

「く……」

「ところで、隠さなくていいんですか?」

「あっ」

明るい朝陽の下で裸体を晒していたことに気付いたユーリは、慌ててシーツを引っ張り身体を隠す。

「ふふふっ」

寝台に寝転がったまま裸体を隠すでもなく、ルーファスは余裕綽々《よゆうしゃくしゃく》の顔でユーリを見上げている。

「もう少し余韻に浸りたい気もしましたが……。仕方ありません。食事にしましょう」

（ごはん……！）

ぱあっと目を輝かせたユーリに、ルーファスは「ぷっ」と噴き出した。

「むっ」

ユーリの眉が顰《ひそ》められる。

「変わってませんね。本当に……」

たしかに自分は、食べ物を前にすると途端に機嫌が良くなってしまう。それを笑われた気がして、ユーリはむっと膨れた。

「もっとも……」

ルーファスは笑みを浮かべたまま身を起こす。そしておもむろにユーリの腰を摑むと、自分の膝の上に抱いた。

「あっ」

おもむろに伸ばされた彼の手が、もにゅ、と後ろからユーリの胸を揉む。

「なっ……!?」

「ここは十分育ちましたね。なかなか楽しめましたよ」

「ななっ……」

もにゅもにゅもにゅ、と柔らかい胸の形が変わるほど揉みしだかれて、ユーリの頬は羞恥と怒りに染まっていく。おまけに……

「ちょ……ちょっと待って……これ……」

自分の尻の下に、硬いモノが当たっているのだ。

昨夜さんざん自分の身体を貫いた凶器が、再び硬度を増してユーリを求めている。

「食事にしましょうと言いましたが、その前に……」

「……っ」

ユーリの耳をねぶり、その指先で胸の頂を捏ねくり回しながら、彼は低く囁く。

「あなたを食べさせてください」

「う……あ……」

羞恥心で思考回路が焼き切れてしまったのか、ユーリの唇はもごもごと動くだけで、結局言葉にならなかった。

そしてユーリは、再び寝台に押し倒されたのだった。

結局、ユーリは早朝からまたもルーファスに抱かれてしまった。

彼はユーリのナカにたっぷりと精を吐き出し、満足した後で、

「食事の場で紹介したい者がいます。綺麗に身を清めてくださいね。目の毒ですから」

と、汗と体液とに塗《まみ》れたユーリの身体を一瞥《いちべつ》してそう言った。

自分をこうしたのはルーファスなのに、とユーリは思ったが、反論する気力も尽きていた。


重い身体を引きずって、浴室へと入る。言われずとも、早く身を清めたかった。

バスタブに湯を張っている間、シャワーで汚れを流し、身体を洗う。

そのとき初めて鏡に映る自分の裸体を見て、ユーリはぎょっとした。

雪のような白い肌には、虫さされに似た赤い痕がたくさん散っていたのだ。

それが、昨夜と今朝ルーファスに肌を吸われた痕だとわかり、ユーリは羞恥心のあまり鏡を直視できなかった。

自分は彼に抱かれたのだ。

もう引き返せないのだと、彼の痕の残るこの身体を見て思い知らされた。そして……

「ん……っ」

恐る恐る触れた己の蜜壷から、どろっとした白濁が零れ落ちた。

何度も吐き出されたルーファスの欲望だろう。

「ど……どうしよう……？」

これが子供をつくる種であることは、ユーリも知っている。知っているけれど、この状態をどうすればいいのか彼女にはわからなかった。

掻き出してもいいのだろうか？　それとも、そのままにしておかなければいけないのだろうか？　だがこのままというのは、なんとも気持ちが悪い。

「………っ」

ユーリはゆっくりと、自分の指を蜜壷に深く沈めた。こんな風に触れるのは初めてだ。

ぐちゅり……と指先に絡む粘液を掻き出す。

「ふぁ……」

それだけのことで、ルーファスに触れられたときのように身体がぴくっと震えた。

「………っ……」

自分の身体がそれまでとは違ったものに変わってしまったような気がして、言いようのない不安がユーリの心に広がっていった。

「どうして……」

何故ルーファスは、自分を娶《めと》ったのだろう。今の彼なら、他にいくらでも妻になりたいと願う女性はいるだろうに。どうして自分を相手に、こんな淫らな事を強いるのか。その真意がわからず、ユーリは困惑していた。

浴室のタイルの上に白濁が零れ落ちる。もしかして、彼は子供が欲しいのだろうか。掻き出した精液に少しの罪悪感を覚えながら、ユーリはシャワーでそれらを流した。

湯から上がると、脱衣室に新しい下着と若草色のドレスが用意されていた。シュミーズもドロワーズも、ユーリが元々持っている飾り気のないものとは違い、胸の周りや裾にレースで飾りがついている。ドレスも袖《そで》口や裾に繊細なレースが施され、胸元にはピンク色のリボンが結ばれている、愛らしいデザインのドレスだ。

ルーファスが用意したのだろうか？　いったいいつの間に……？

恥ずかしさはあれど、彼の用意した下着を身に纏い、ドレスを着る。そうして寝室に戻れば、ルーファスは別の浴室ですでに身を清めてきたらしく、こざっぱりとしたシャツに着替えていた。

窓際の椅子に座り、分厚い本を読んでいた彼はユーリが部屋に入って来たことに気がつくと、本を閉じた。そしてドレス姿のユーリを上から下まで眺め、満足気に微笑むと、立ち上がってユーリの手を引き、部屋の外へと促す。

「食事はもう用意させてあります」

用意させてある、と彼は言った。そういえば、こんなに広い館なのだ。使用人の一人や二人雇っていても不思議ではない。かつてルーファスが一家でこの館に暮らしていたときも、下働きの女性が数人雇われていた。

昨日ルーファスにここへ連れ込まれたときには姿を見なかったが、当時と同じ人達だろうか。それとも、新たに雇われた人達……?

寝室のある二階から一階へ降り、食事室に案内される。

だがそこに待っていたのはユーリが思い描いていたような使用人の女性ではなく、まだ幼い少年だった。

「おはようございます、先生。それから、はじめまして、奥様。ウィリー・オールダムと言います。よろしくお願いします」

ユーリと同じ黒髪に、薄い青の瞳。そばかすの浮いた顔は健康的に焼けている。しかし少し痩せぎみな身体が気になった。

少年——ウィリーはにっこりと人懐っこい笑みを浮かべて、ぺこりとユーリに一礼する。

「ウィリーは私の助手です。家のことも彼に任せているので、何かあったら彼に頼みなさい」

　そう言って、ルーファスは席に着いた。

　ユーリは戸惑いながらも、彼に続いてルーファスの対面に座る。オーク製の椅子はチョコレートブラウンに塗られ、座面には青いビロードのクッションが張られている。ふかふかとしていてとても座りやすい。

　椅子に座って、ユーリはちら……と、食卓にカトラリーを並べていくウィリーを見た。

　ルーファスは、この広い館のことは全てこの幼い少年に任せていると言ったが、本当だろうか。

「ほ、他に人は……？」

「いません。手は足りていますよ」

　素っ気なくルーファスは言う。

　ユーリは驚きに目を見張った。当のウィリーはというと、驚くのも無理はないというように、苦笑している。

「えっと、奥様のお口に合うかわかりませんが……」

　そんなふうに謙遜《けんそん》しながら、ウィリーはユーリ達の前に食事を並べていく。

　待ち望んでいた食事に目を輝かせ、ぱっと視線を移したユーリは、謙遜が謙遜ではない出来栄えに絶句した。

「……………………」

食卓の中央に置かれた籠に盛られた大量のパンは硬く、いつ買って来たものだろうかと不安に思うほどだった。形状から見るに、本来は柔らかい白パンのはずだ。けして、保存用に硬く焼かれたパンではない。にもかかわらず、表面はカチカチに硬く乾いていて、口に含んでもパサパサとして味気ない。

そして皿に盛られた卵は目玉焼きにしようとしたのだろうが、ぐちゅぐちゅにつぶれて焦げ付いている。一緒に皿に添えられているのは何かの肉……なのだろうが、火を通しただけで味付けが何も無い。せめて塩と胡椒を振ってくれれば、と思いながらも、空腹のユーリは黙ってそれらの料理を口に運んだ。

もぐもぐと硬いパンを咀嚼《そしゃく》し、野菜の切れっぱしが浮いた薄味のスープで流し込む。

これがユーリだけに用意された料理なら間違いなく嫌がらせの域だが、まったく同じメニューをルーファスとウィリーが食べているのだから、これが彼らにとって当たり前の食事なのだろう。

（それにしても、酷い……）

食事は今度から自分に作らせてもらおうと決意し、ユーリは四つ目のパンに手を伸ばした。

「…………………」

「……？」

ふと、男性陣二人の視線が自分に注がれていることに気付き、ユーリは食事の手を止める。

「……どこにそんなに入るんですかねぇ」

ルーファスが呆れたように言う。ユーリはすでに黒焦げの卵料理と焼いただけの肉をすべてたいらげ、スープは二杯目のおかわりをしていた。そしてさらにパンを四つ。

朝からもりもりと食べるユーリに、男性陣は驚いたらしい。

ユーリはほっそりとした体つきに似合わず、よく食べる。亡くなった父も細身の大食《たいしょく》漢《かん》だったから、朝からこれくらいの量を食べるのは彼女にとって普通のことだった。たくさんのパンと山盛りのサラダ、そして具だくさんのスープが並んでいたかつての朝食風景を思い出し、ユーリは呟いた。

「……普通だと思うけど……」

ユーリにしてみれば、ルーファスが食べなさすぎるのだ。彼はパンを半分ほど齧《かじ》り、他の料理にも一口二口手をつけただけで、今は食後の紅茶を飲んでいる。

そしてウィリーも。食べ盛りだろうに、あまり食が進んでいない。もっとも、彼らの小食ぶりはこの酷い料理も影響しているような気もするが。

「まあ、もっと肉をつけてくれた方が抱き心地も良くなるので、いいんですけどね」

「なっ!?」

子供の前でなんてことを言うのだ。

真っ赤になって怒るユーリを尻目に、ルーファスは飄々《ひょうひょう》と紅茶を啜《すす》っている。

「ご主人様のこんな楽しそうな顔、久しぶりに見たなあ……」

ウィリーはユーリのカップに紅茶を注ぎ足しながら、まるで気にする様子も無くにこにこと笑う。

楽しそうというか、あれは完全に自分をからかって笑っているのだと、ユーリは憮然としてカップに口をつけた。


そんなお世辞にも美味しいとは言えない食事を終え、気持ちもいくぶん休まったユーリはウィリーを手伝おうと席を立つ。しかし、

「あなたの仕事は別にあります」

ルーファスはそう言って、ユーリの手を引いていく。

(……仕事……?)

もしかして、それをさせるためにルーファスは自分を買ったのだろうか？

怪訝に思いながらも、ユーリは素直に彼の後をついていく。

しかしそうして連れて来られた先は、なぜか二人の寝室だった。

「……？」

ここに仕事があるのかと首を傾げるユーリの前で、ルーファスは寝台の上でぐちゃぐちゃになったままのシーツを乱雑に引きはがすと、ぽいと床の上に投げ捨てた。

むき出しになった厚いマットの上に、チェストから取り出した白いシーツをただ載せる。

そしておもむろに、自分のシャツを脱ぎ始めた。

「!?」

いきなり目の前に現れた白い背中にぎょっと目を見開くユーリを尻目に、痩せてはいるが意外に引き締まった上半身を晒した彼は振り返ってユーリの手をとると、トンと寝台の上に押し倒した。

「え……？」

ギシッと、寝台を軋《きし》ませてルーファスがユーリの上に覆いかぶさってくる。それはまるで、昨夜をそのまま再現しているかのようだった。

「とりあえず、食後の運動といきましょうか」

「ええ!?」

食事の前、朝一番で交わったばかりだというのに、ルーファスはなおもユーリを求めているらしい。夫婦の営みとは、そんなに何度も何度もするものなのだろうかと、ユーリは困惑し、目を丸くする。

だがルーファスはおかまいなしに、ぺろりと舌なめずりをすると、まるで鼻歌でも歌い出しそうな上機嫌な顔で、彼女の胸元のボタンを外していく。

「だ、だって……、仕事は……?」

返答はなく、そのままぐいと胸元を開かれ、シュミーズに包まれたユーリの形の良い胸が露わになった。

その膨らみに顔を埋めながら、ルーファスは淡々と言う。

「だからこれが、あなたの仕事ですよ」

彼の性欲を満たすこと。それがユーリに課せられた、第一の『仕事』だと言っているのだ。

「ま、待ってルーファス……!」

ユーリは抵抗するように、彼の身体を押しのけようとする。が、ルーファスはものともせずに、彼女のドレスを脱がし、下着も全て取り去ってしまう。

裸に剝かれた身体を手で覆い隠し、怯えるように瞳を揺らすユーリに、ルーファスはふっと冷たい笑みを浮かべた。

「あなたはただ、私の欲を満たしてくれればそれでいい」

どうせ娼婦になるつもりだったのだから、簡単でしょう？　そうルーファスに言われ、ユーリの表情が凍りつく。

やはり彼の赤い瞳には、自分は金と引き換えに身体を売る女としてしか映っていない。ルーファスは自分を、専属の娼婦として買ったのだ。

どうして自分をと自問したとき、ユーリは心のどこかで、ルーファスに妻として求められていると期待していたのかもしれない。だが、自分は彼に特別に選ばれて迎えられた花嫁ではなかった。天涯孤独の身となり娼婦になることを選んだユーリが、ルーファスの欲を満たすのに都合の良い存在だったから買われたに過ぎないのだ
その事実に、ユーリの胸はぐっと締めつけられるように痛んだ。


その日から三日三晩、ルーファスはユーリを離さなかった。

甘い香を焚かれた帳の中で、彼は未開発だったユーリの身体に快楽を教え込むよう、執《しっ》拗《よう》に抱いた。

彼の指に触れられ、低い声に囁かれると、それだけでユーリの身体は反応してしまうようになった。

体力の限界まで責め立てられて、何度気を失ったかわからない。

そうしてわずかな眠りに身をゆだねた後、再び激しい口付けに起こされて、身体を貪《むさぼ》られるのだ。

水は口移しで与えられた。食べ物は、どう説明されているのか考えたくもないが、ウィリーがそのつど、寝室の扉の前に置いていくようだった。

ルーファスはくったりとしたユーリの口元に、自らスプーンを使ってスープを含ませると、小さくちぎったパンを与え、瑞々《みずみず》しい果物を甲斐甲斐しく運んだ。

最初こそ恥ずかしさから抵抗していたユーリも、今では与えられるがまま、大人しく口を開ける。まるで餌付《えづ》けされるひな鳥のような気分だ。

そうして腹を満たした後は、また、抱かれる。

自分を買った男がいわゆる精力絶倫な男なのだと、ユーリはその身にしっかりと教え込まれた。

そうして、睦み合うこと四日目の朝。

「んぁ……っ」

パンパンっと臀部に腰を強く叩きつけられ、熱い白濁がナカに吐き出される。

絶頂を迎えたばかりで力の入らない身体は、蜜壷に吐き出された熱にふるっと震えた。

「……っ。はぁ……」

満足気な息を吐いて、ユーリのナカからルーファスがゆっくりと抜け出ていく。

秘所からこぽりと溢れる白濁がぐしゃぐしゃのシーツを濡らしたが、ユーリは放心したまま身じろぎ一つできない。

彼が身を起こしてガウンを羽織るのを、ユーリはぼんやりと滲む視界で見上げていた。

「名残惜しいですが私は仕事に行ってきます。良い子で待っていてくださいね、ユーリ」

行為の最中は外している片眼鏡をかけ、汗でしっとりと濡れたユーリの髪を撫でて、ルーファスはその額に口付ける。

ちゃり……と、片眼鏡の冷たい金鎖が頬に触れた。

(……し……ごと……？)

自分はようやく解放されるのか。

たとえそれがひと時の自由であっても、ユーリはほっと安堵し息を吐いた。しかしそんな様子が気に障ったのか、それまでの優しい手つきから一転、彼はいきなりユーリの首をぐっと摑んできた。

「いいですか。けして、この館から出てはいけませんよ。もし言いつけを破ったら……」

力こそ入っていないものの、あまりにも突然の行動にユーリはびくっと怯えた。

「この首に似合いの首輪をつけて鎖で繋いで、一生外に出してあげません」

「……っ」

犬のように首輪を嵌《は》め、鎖で繋いで監禁してやる。そう告げるルーファスの口元は、愉快そうに嗤っていた。けれど、その目は獲物を射竦《いすく》めるような眼差しで、笑っていない。

この男は本気で言っている、そう悟った瞬間、ユーリの心は恐怖で竦んだ。

赤い、ルビーのような瞳。あの目に見つめられると、ユーリはもう、何も言えなくなってしまう。逆らえなく、なってしまう。

「その代わり、館の敷地から出なければあとは好きにして構いませんよ。ただし、鍵のかかった部屋にはけして入らないように。地下室にも降りていかないこと。守れますか?」

「う、うん……」

「ふふ。守れなかったら、きついおしおきですよ」

ルーファスの手がねっとりとユーリの頬を撫でる。その手つきはどこか卑猥で、またいつ彼に嬲られるかもしれない恐怖にユーリは慌ててこくこくと頷いた。

「ま、守るよ!」

どんなおしおきをされるのか、考えたくも無い。

「それじゃあ、いってきます。ユーリ」

「……いって、らっしゃい……」

寝室から出ていった彼を見送りほっとしたユーリは、痛む腰を押さえながらよたよたと寝室のクローゼットへ向かう。そこには、ルーファスがユーリのために用意したドレスや下着がぎっしりと詰まっていた。

そこからなるべく地味なものを選び出し、浴室へ向かう。そこかしこに散る鬱血の痕を見て項垂《うなだ》れながらも身を清めたユーリは、ドレスを纏い寝室に置かれている寝椅子にくったりと身を預けた。

「……も……だめ………」

ここ数日まともに寝かせてもらえなかったユーリは、横たわるとすぐに夢の中に落ちていったのだった。


「……ん……」

次に目を覚ましたとき、時計の針は夕刻を指していた。

寝椅子の傍のテーブルには、いびつな形のサンドイッチが山のように盛られた皿が置かれている。ルーファスかウィリーが、昼食にと持ってきてくれたものだろう。

水差しのレモン水をグラスに注ぎ、ユーリはもそもそとサンドイッチを口にした。

バターがパンの間でぽろぽろと崩れていて、パンもトマトとレタスの水気を吸ってぐじゅっとしていたが、それでも空腹には染みた。

「ふう……」

ユーリはサンドイッチをたいらげて、水差しから注いだレモン水をゆっくりと飲み干す。さんざんに啼かされてがらがらに荒れた喉に、ぬるくなった水が心地いい。

（……これから、どうしよう……？）

睡眠と食事をとり、ようやく人心地ついたユーリは自分の置かれた状況を思い返す。

「…………」

ルーファスのことは正直、怖い。優しくしたかと思えば、突然酷く自分を責め立てる姿に、何度も心が竦んだ。けれど、だからこそ逃げられるとも思わないし、逃げてはいけないとも思う。

借金を踏み倒して逃げるような考えは、もとよりユーリの中にはない。

たとえこれからずっと、ルーファスに支配されて生きていくのだとしても。

「……っ」

甦る恐怖心を、ふるふると首を振ることで払い、ユーリはぐっと顔をあげた。

あのまま娼館に行っていたとして、待っていたのは今と大差ない生活だっただろう。男に抱かれて、眠り、そしてまた抱かれる。ルーファスも言っていたように、相手が彼一人なのだから、随分と恵まれているはずだ。

覚悟、していたはずなのに。

どうしてこんなに胸が苦しいのだろう。

ただ自分の性欲を満たせばそれでいいと、ルーファスははっきりとユーリに告げた。

彼が自分に求めているものは、娼婦に求めるそれと変わらない。それが悲しかった。

けれどどうしてそんなふうに考えてしまうのか、ユーリは自分でもわからなかった。

『妻』という名目は与えられていても、自分は結局彼に金に買われた女なのだ。そして

ユーリ自身、金と引き換えに自分の身体を売ると決めていた。

「……っ、駄目だ」

じっとしていると、嫌な考えで頭がいっぱいになってしまう。

ユーリは痛む腰をおして、寝椅子から立ち上がった。

このままじっとしているのは性に合わない。部屋にずっと籠っていると、心が萎《しお》れてし

まう気がした。

　これから自分が暮らしていく家だ。幼い頃に何度か遊びに来たことはあるけれど、もう十年も前のことだし、何より隅々まで知っているわけではない。

　ユーリは気晴らしも兼ねて、まずはこの館を見て回ることにした。


　数分後、ユーリは小さく唸り、眉間に皺を寄せていた。

「ううん……」

　寝室を出て、ひと通り館の中を歩き回ったが、改めて見たこの館の現状は酷いものだった。

　館内はどこも埃っぽく、洗濯場には何日分なのかわからない洗濯物が積み上げられている。調理場には物が散乱していて、とても料理できる状態ではない。

　見た限り、綺麗に掃除されているのはルーファスの寝室と食事室くらいのものだ。どうやら彼は、最低限の生活空間だけ綺麗に整えているらしい。

「うーん……」

　ルーファスは、「手は足りている」と言っていた。この家に、ウィリーの他に使用人はいらないとも。

けれども現状、この館をまだ幼い少年一人に任せるのにはやはり無理があるのではないか。

もちろん、ウィリーが怠けているのではないだろう。

元は男二人の生活だったとはいえ、この広すぎる館内の維持――炊事に洗濯に掃除に買い出し――それらをウィリー一人に任せるルーファスが間違っているのだ。

とはいえ、ルーファスは食事のこともそうだが、館内の状態にも頓着《とんちゃく》していない様子で、最低限の生活スペースが確保され、小さな腹を満たす食事があればそれでいいと考えているふしがあった。

だが……

（き、気になる……）

廊下の隅には大きな蜘蛛《くも》の巣が張っていて、窓は雨風に汚れたまま何年も放置された汚れ様。桟《さん》にはこんもりと埃がたまり、触れれば指の跡が残るくらい真っ白だった。

ルーファス達が戻ってくるまで、十年もの間空き家だったブラックフォード邸。それでも定期的に人の手は入っていたようで、人が住める状態ではあるのだが……

羽箒《はねぼうき》をとってきて、今すぐにでも埃を払いたい。掃除をしたい、綺麗にしたいと、ユーリはうずうずと身を震わせた。

それに洗濯も自分でしたい。下着や、あの生々しい跡のついたシーツを他人に見られるのには抵抗がある。

そして食事だ。もう少しまともなものが食べたいと思うのは、贅沢《ぜいたく》だろうか。

「とりあえず……」

ルーファスに人を雇う気がないのなら、自分にやらせてもらおう。

元々、父と二人で暮らしていたときも全ての家事はユーリがやっていたのだ。

『あなたはただ、私の欲を満たしてくれればそれでいい』

褥《しとね》でルーファスに告げられた言葉がふいに甦る。

彼にとって自分は性欲処理の道具に過ぎないのかもしれない。

けれど、実態はどうあれ自分はルーファスの妻になったのだから、夫の生活を整えるのも自分の役目だ。

彼に抱かれる以外にも、何かできることをしたい。

（……うん！）

ユーリは伏せていた顔をくっと上げると、中庭を挟んで別棟に立つブラックフォード医院——ルーファスの職場へと、足を向けた。

屋敷側にある裏口から入ってみると、ブラックフォード医院は酷く閑散としていた。長椅子が置かれただけの殺風景な待合室には、人っ子一人いない。

休み中だったのだろうかと、正面入り口の扉を開いてみるが、鍵はかかっていなかった。その代わり、かつてルーファスの父がいた頃にはあった診療日や診療時間を示すプレートが無くなっていた。これでは、患者も入って来づらいのではないだろうか。

数日寝室に籠ってユーリを抱いていたことといい、ルーファスには院長としてのやる気が欠落しているのかもしれない。

（……なんだか寂しいな……）

かつてのブラックフォード医院は、町外れという立地の悪さがあれど、ルーファスの父の腕のよさが評判となり多くの患者で賑わっていた。病気に苦しむ人々を迎え入れるのは、優しい笑みを浮かべた看護師達と、緑の葉が生い茂る観葉植物。そして花瓶に活けられた美しい花々だった。ルーファスの母が庭で育てていたものを、少しでも患者さんの気持ちが癒されるようにと手ずから活けていたらしい。庭に花が無いときには、ユーリの花屋から買って活けていた。

小さい医院だが、当時は入院用のベッドもあって、見舞いのために花を買っていく人もいた。

懐かしい日々を思い返すと、余計に今の閑散とした静けさが切なく感じられる。屋敷と違って綺麗に改装された真新しい院内は、ユーリの目には冷たく感じられるのだ。まるで今の、ルーファスのように。

「……あ」

彼のことを思い浮かべたことで当初の目的を思い出し、ユーリは診察室と書かれた扉に向かった。扉の上部にある小さなガラス窓には白いカーテンがかけられており、中は窺えなかった。ルーファスはここにいるだろうか。

コンコン、と控えめにノックする。すると、すぐに中から返答があった。

「開いていますよ。入りなさい」

診察室は、待合室と同じく最低限の物しか置かれていなかった。回転式の椅子に座っているルーファスが、読んでいた本を閉じてユーリに視線を送る。

「どうしました？」

尋ねる声は優しく口元は笑んでいるが、それがかえって恐ろしく、ユーリは言い難そうに視線を彷徨《さまよ》わせる。

「えっと……。実はお願いがあって……」

ルーファスの眉がぴくりと動く。いったい何を言い出すのだと責められているようでユーリの心はひるんだが、勇気を出して願いを口にした。

「あのっ。か、家事をさせて欲しいの……！」

「は……？」

「お掃除とか、お洗濯とか。お料理とか……。やっても、いい？」

何をねだるかと思ったらそんなことかと言わんばかりに、ルーファスは呆れるように嘆息した。

「……ウィリーがいます。手は足りていると言ったでしょう」

「私もやりたいの。お願いします……！」

ユーリはそう言って、深々と頭を下げた。

「…………………」

ルーファスは中流階級の裕福な家庭に育った。彼の母親は菓子作りと庭仕事が趣味だったが、家事のほとんどは使用人がやっていた。医師の妻というものは大体そんなもので、ルーファスもユーリに家事をさせるつもりはないのかもしれない。

だが父と二人で細々と暮らしてきたユーリには、他人に任せたまま自分は動かないという生活は性に合わない。

「入っちゃ駄目って言われた場所にはけして入らない。それに、館から出なければ好きにしていいって言ったの、ルーファスだよ？」

「……家事をさせるために、あなたを大金で買ったわけじゃないんですがね」

「！　……あの、夜……の仕事……も、ちゃんとやるから……」

そうだ。自分はあくまで、彼に買われた娼婦に過ぎない。改めて突きつけられた現実に心は軋むように痛んだが、それを堪えるように両手をぎゅっと組み合わせ、ユーリは「お願い……！」と懇願する。

そんな彼女の姿をまじまじと見て、ルーファスはにっと口元を笑ませた。

「……ふふ。まあ、良いでしょう」

その言葉に、ユーリはぱあっと顔を綻ばせる。

が、その笑顔は次の瞬間、ピシリと固まった。

「あなたがその口で上手に私をイかせられたら、許してあげます」

「え……？」

口でルーファスをイかせたら、家事をすることを許可する。

そう言われ、ユーリは困惑した。何をどうしたらいいのかわからなかったのだ。

だがそんな彼女に、白衣のルーファスは嗜虐的な笑みを浮かべて、自分の股間を指差した。

「その口で咥えてみせろと言っているんです」

「!?」

何を咥えろと言われているのか、さすがのユーリも察した。

「早くしなさい。できないなら、この話はなかったことにしますよ」

「うう……」

ここは寝室でも寝台でもない。患者の診察をする神聖な場所ではないか。だというのに、医者であるはずのこの男は、にやにやと自分を見下ろしている。ユーリの反応を高みから楽しんでいるのだ。

ユーリはぐっと唇を噛んだ。

なんて酷い男だろう。神聖な職場でこんないやらしいことを要求してくるなんて。

ユーリが知らない十年で彼にいったい何があったのか。かつてのいじめられっ子は、今やタチの悪いいじめっ子に変貌していた。

「ユーリ」

「……っ」

ぞくっと、背筋を震わせるような甘い響きで名を呼ばれ、ユーリの身体が震える。この三日の間に刻み込まれた快楽が、そうさせているのだ。

「……っ」

逆らえない。この赤い瞳にも、声にも。

それに、ルーファスの言うことを聞きさえすれば、家事をさせてもらえるのだ。

部屋に閉じこもり、彼の訪れを待つだけの生活を送るのか。そんなのは嫌だ、とユーリは思った。これまで花屋として忙しく働きながら暮らしてきたユーリには、そんな毎日を送るなんて考えられない。いずれ心が死んでしまい、人形のようになってしまうだろう。

「…………」

逡巡の末、ユーリは唇を噛み締め、ゆっくりとルーファスの前に跪《ひざまず》いた。

ルーファスは己の股間に顔を近付けるユーリを、満足気に見下ろしている。けれど、指一つ動かさない。全てをユーリ一人にやらせるつもりなのだ。

ユーリは顔を真っ赤にしながら、その手でゆっくりファスナーを下ろした。

「っ」

下着越しに、彼の肉棒がわずかに隆起しているのがわかる。躊躇《ためら》いながらも下着をずらし、肉棒を露出させる。

薄暗い褥の中と違い、夕暮れどきの診察室でまじまじと見る彼の肉棒は酷く禍々《まがまが》しいものの、まだ大人しかった。

だがそれでもユーリを恐れさせるのには十分で、彼女は躊躇い、じわりと涙を滲ませる。

「……ぅ……」

これを、口に含むのか。

「ユーリ」

「……っ」

催促するように、ルーファスが彼女の名を呼ぶ。

「さあ、その口で言いなさい。『咥えさせてください』と」

「え！」

咥えたくて咥えるわけではないのに。どうしてそんな、懇願するような真似をしなければならないのか。

ユーリの瞳が、キッ！　と睨むようにルーファスを見上げる。

だが彼はそんな視線すら愉快と言わんばかりに、にやにやと笑っている。

「言えないんですか？　それじゃあ、あなたのお願いは聞けませんねぇ」

「う……あ……な……」

ここまできて、願いを聞いてもらえないのは困る。ユーリは必死に、自分の心を奮い立たせた。

元々、恥ずかしい行為をするところだったのだ。今更それにもう一つ加わったところで、何を躊躇うことがあろうか。

（でも……でもっ……）

やはり恥ずかしいものは恥ずかしい。けれど、背に腹はかえられない。

「……く、咥えさせて……ください……」

かあああっと、ユーリの頬が恥辱に染まる。

「ふふっ。良い子ですね、ユーリ」

もう舐めてもいいですよ？　と、まるでペットに餌を与える飼い主のように、ルーファスはユーリの頭を撫でる。

「……。ぁ……っ、ふ……っ……む……」

羞恥《しゅうち》に震えながらも、ユーリは勇気を振り絞ってルーファスの雄《おす》に口をつけた。

ちゅ、と唇を竿に触れさせ、まだくったりとした肉棒をそっと握る。そしてぺろ……ぺろ……と、キャンディを舐めるように恐る恐る舌を這わせた。

「んん……ちゅ……む……」

ユーリはこれまでルーファスにされた愛撫を思い出しながら、懸命に口を動かす。舌先でちろちろと舐め、唇でちゅ、ちゅ、と口付けると、それは徐々に硬さを増していった。ユーリの唇を唾液とも違う液が濡らしていく。

「下手くそですねぇ、ユーリ」

だがそんなもどかしい刺激では足りないと、ルーファスはぐい、とユーリの顎を摑んだ。

「誰が舐めるだけでいいと言いましたか？　咥えなさいと、言ったはずです」

「う……」

赤い瞳に咎《とが》められ、ユーリは恐る恐る口の中に含んだ。

ユーリの唾液に塗れ、てらてらと濡れる赤黒い肉棒は禍々しさが増している。それにユーリの口では全て収まりきらないほどに大きい。

「歯を立ててはいけませんよ。舌で舐め上げて、吸いなさい」

「んぐ……」

言われるがまま、歯を立てないように、舌を動かす。けれども小さな口内を圧迫されながら舌を動かすのは至難の業で、そのあまりの苦しさに、ユーリは何度も口を離してしまった。

それでもルーファスは許してくれず、ユーリの小さな頭を押さえつけて奥まで咥え込ませる。

「……っ。ユーリ……、早くしないと、誰かに見られてしまうかもしれませんよ……？」

「んんっ！」

閑古鳥《かんこどり》が鳴いているとはいえ、医院の入り口は開いているのだ。

早くしないと、患者が来てしまうかもしれない。誰かにこんな姿を見られてしまうかもしれない。

焦るユーリは、涙を堪えてルーファスの肉棒を必死に愛撫した。

「んっ……んん……むぅ……ん……っ」

あまりの拙《つたな》さに見かねたのか、ユーリの手にルーファスの手が重なる。そしてその手に促されるがまま、ユーリはルーファスの肉棒を手で上下に扱《しご》いた。

「……ふふ……」

「んむう……っ……はぁ……ん……む……」

顎がだるい、息が苦しい。早く終わればいい、とユーリは必死に願った。

苦しさのあまり涙が浮かぶ。けれど涙で滲む視界の向こうでは、ルーファスがいつものように満足気に笑っていた。

「……くっ……っ。よくできました……ユーリ……」

苦しげにそう言った後、荒くなっていたルーファスの息が一瞬止まる。

ああ、ようやく解放されるのだと、ユーリは悟った。

「……っ」

「んん……っ。んんー！」

次の瞬間には、口の中にたっぷりと精を吐き出されていた。

「……はぁ……っ」

長かった苦悶のときがようやく終わりを迎えたことに、ユーリは安堵した。

「んん……」

口の中に、どろっと苦いものが残っている。

この白濁をどうすべきか戸惑うユーリに、ルーファスは白いハンカチを差し出してきた。

「……これに吐き出しなさい」

「は……っ」

どろっとした精液をハンカチに吐き出し、同じく手渡されたレモン水で口の中をすすぐ。

ふう、と人心地ついたとき、しかし彼女は自分の身体の異変に気付いた。

（……ん……）

もじ……と、ユーリは思わず身じろぎをする。己の下半身の違和感に、彼女は動揺した。

（……ど、どうしよう……）

身体の奥が熱を持っていた。まるでルーファスに抱かれるときと同じように。

秘所から溢れる蜜が下着を濡らしているのがわかる。ルーファスの肉棒を咥えているうちに、欲情してしまったのだ。

（なんて、はしたない……）

ユーリは愕然《がくぜん》とした。そして、ルーファスに気付かれる前にこの場を離れなければと焦る。彼の言うことは果たしたのだ、もう退室してもかまわないだろう。

「ふふ。私のを咥えて、感じたんですか……？」

しかしそんな心情を全て見透かすように、ルーファスはユーリをじっと見つめていた。

くつくつと、愉快でたまらないとでも言いたげに笑い声を上げながら。

「ちがっ!?」

ルーファスはユーリの身体を診察台の上に押し倒し、スカートをまくりあげると、彼女の下着に触れてきた。

「濡れてますね」

「あ……っ!?」

ドロワーズをしっとりと濡らしてしまうほど、ユーリの秘所は蜜を滴《したた》らせていた。

「いけない子ですね」

囁き声が、耳に直に吹き込まれる。

「香を焚いてもいないのに、こんなにいやらしい……」

「ご……ごめんなさい……っ」

恥ずかしくて、ルーファスの顔が見られない。ユーリは両手で自分の顔を覆い隠した。

ここにはルーファスがいつも焚く媚薬は無い。つまり、自分の身体を淫らに変えてしまう甘い香りは無いのだ。にもかかわらず、蜜を溢れさせる自分をユーリは恥じた。

「……っ」

顔を隠し、ユーリはふるふると羞恥心に身を震わせた。

そんな子ウサギにも似た様が、さらにルーファスの劣情《れつじょう》を煽ることを彼女は知らない。

「……こんな悪い子にはおしおきです。ユーリ、自分で下着を脱いで、スカートをまくし上げなさい」

そんな恥ずかしいこと、できるわけがない。

ユーリはぶんぶんと首を横に振り、顔を背ける。

だがルーファスは、そんなユーリを赤い瞳で見据えたまま、彼女を押さえつけて離さない。

「ユーリ？」

「…………っ」

名を呼ぶ声に、甘さが増す。身体の奥が熱く疼いた。

ユーリはちら、と自分の指の隙間からルーファスを見上げた。

（また……だ）

ルーファスの赤い瞳が、爛々と輝いている。ユーリを求めてくるとき、ルーファスの瞳はいつも輝きを増す気がした。

この瞳に見つめられると、逆らえない。逆らってはいけないと、閨《ねや》でさんざんに教え込まれたから。

「…………」

ユーリはゆっくりと身を起こし、下着に手をかけてゆっくりと下ろした。白いドロワーズが、ぱさりと音を立てて床板の上に落ちる。

そして震える手でそのままスカートの裾を摑むと、彼に見えるようにまくし上げる。

「ふふ」

満足気に笑うルーファスの視線に、白い下肢が晒される。

その肌には、彼に刻まれた赤い痕が点々と散っていた。

露わにされた薄い茂みは、汗と蜜とでしっとりと濡れている。

羞恥心で身体を震わすたび、その茂みも微かに震えた。

「……あっ」

ルーファスはゆっくりと、ユーリの秘所に手を這わせた。

十分に濡れているそこは、さらなる刺激を求め、ひくひくと蠢いてルーファスを誘っている。

「あっ……いやぁ……」

くちゅくちゅと指を動かされ、ユーリはのがれるように身じろいだ。

「何が嫌なんです？　こうして欲しかったんでしょう？」

「ち……ちが……」

「こんなに蜜を垂らしておいて、説得力がないですよ？　ユーリ」

ルーファスは笑みを含ませてそう言うと、ユーリの腰を捕らえ、ぐっと、診察台に押し上げた。診察台に座らせると、おもむろに秘所に顔を埋めてくる。

「ひゃあ……っ……！」

舌でねぶられ、甲高い声がユーリの口から洩れる。

じゅ……ずぷっ……。ルーファスの舌が、激しくユーリの蜜壷を責めた。

「ふ……ふあ……」

ぞくぞくと、ユーリの背筋を快感が駆け抜けていく。焦《じ》れるように腰が疼いた。ドレスの中で、触れられていない胸の頂がぷっくりと勃ち上がるのがわかる。もっとルーファスに触れられたいと、主張するように。

「ひゃぁ……っ」

舌先で丁寧に襞を嬲られて、そのたびにユーリの身体が弓なりに反る。快楽で頭がいっぱいになって、羞恥心すら飛んでいきそうだった。

もっともっと、気持ち良くなりたい。気持ち良く、して欲しい……。

そんな淫らな願望ばかりが、彼女の心を占めていく。

「ルーファス……っ……」

「くくっ。本当に、おねだりが上手ですねえ、ユーリは！」

ルーファスは再び勃ち上がった自身に手を這わせると、つぷん……！　と勢いよく彼女の蜜壷に挿し入った。

「あ……ああっっ……！」

「……っ。ユーリ……」

硬くて熱いルーファスの肉棒が、自分の最奥を犯していく。そして彼は、ユーリが一番感じる場所を激しく責め立てるのだ。

「あっ、あぁ……あっ……」

ユーリの蜜壷は、彼を逃すまいとするかのようにキュウキュウに締めつける。そうすればルーファスも気持ち良くなってくれることを、この身体は知っているのだ。

「っ……あ……あっ……ルー……ファス……」

ユーリの口から、甘えるような声が漏れ出す。

そんなユーリの痴態を嘲笑うように、ルーファスが低く囁いた。

「声を上げてもいいですが、誰かに聞かれても知りませんよ」

「!?」

ユーリは慌てて唇を噛み締めた。快楽に浮かされながらも、はしたない声を誰かに聞かれてしまわないように。

「私の肩を噛んでいなさい」

そう言われて初めて、血が滲んでしまいそうなほど唇を噛んでいたことに気がついた。

言われるがまま、ユーリは彼の肩に噛みつく。

素直に言うことを聞くユーリに、ルーファスは小さく「良い子ですね」と囁くと、下から彼女の身体を激しく突き上げ始めた。

三、

さんざんにユーリの身体を弄んだルーファスだったが、約束だけはしっかりと守ってくれた。ユーリが家事をすることを許可してくれたのである。

翌日の早朝、ユーリはいつものようにぱちりと目を覚まし、相変わらず自分の身体を抱いたまま眠っているルーファスの腕から逃れて、浴室で身を清めた。

そして元々持ってきていた荷物の中の着慣れた動きやすいドレスとエプロンに着替えて、長い黒髪をリボンで一つに結わえると、厨房に向かう。

厨房ではすでにウィリーが朝食の支度を始めていた。

「おはよう、ウィリー」

ユーリはにっこりと、少年に声をかける。

「え!?　お、おはようございます奥様！　すみません、まだ食事の支度が……」

どうやらウィリーは、腹を空かせたユーリが食事の催促に来たと思ったらしい。

どれだけ食いしん坊と思われているのだろうか。

「はは……」

その慌て様に苦笑しながら、ユーリは「違う違う」と手を振った。

「今日からは、私も一緒に家事をさせてもらうね」

「ええ!?」

ウィリーは目を見開いた。

どうやらルーファスはウィリーに伝えていなかったらしいが、ウィリーに止められる前に話を進めた。

「今朝のメニューは？」

「ええと、いつもと同じ……です」

パンとスープ。それから焼いた卵と肉。

「それくらいしか作れないんです。ごめんなさい……」

しょぼんと項垂れるウィリーにユーリは慌てた。

「謝ることないよ！　それに、私もウィリーくらいのときはあんまり料理できなかったもの」

父と二人で暮らしていた間、ほとんどの家事を担っていたユーリだが、最初から完璧にこなせていたわけではない。

ウィリーのように卵は何度も焦がしたし、作れる料理のレパートリーも少なかった。

それでもなんとか近所のおばさん達に教わって、数をこなして、ようやくひと通りできるようになったのだ。料理だけではない。掃除も、洗濯も、裁縫も同じだ。

「今日からは、私も一緒に作らせて。ね、一緒に頑張ろう」

「は、はい……！」

ウィリーは嬉しそうに大きく頷いてくれた。

「スープはもう作ってくれてるんだね。それじゃあ、あとは……」

ユーリはちら、と。厨房にある食材を見た。野菜籠の中には、土のついたジャガイモ。

そして作業台の上には、小麦粉に、卵。瓶詰めの牛乳もある。

「ジャガイモ……。そうだ！　ウィリー、パンケーキは好き？」

パンと両手を打って、ユーリはウィリーにそう尋ねる。

「え。えと、好き……です」

「よし！　それじゃあジャガイモのパンケーキを作ろう」

ユーリはさっそく、野菜籠からジャガイモを取り出す。

一品目はすりおろしたジャガイモを入れたパンケーキだ。

「それから……っと」

ユーリはパンケーキの生地を作る傍ら、ウィリーが作っていたスープの味をみる。

「……ぅ」

予想どおり、スープは味が薄かった。

ユーリは具の少ない鍋の中に、ざっくりと切り分けた野菜や塩漬け肉をたっぷり追加する。これで具から旨味が出るので、あとは味を塩と胡椒で整えてやればいい。

「……よし。ウィリー、味見してみて」

自分でも味をみた後、ユーリは小皿にとったスープをウィリーに手渡した。

こく、と一口含んだウィリーは、感動したように目を輝かせた。

「！　すごい！　美味しいです！」

なんてことはない、普通の野菜スープにこんなに感動するなんて、今までどれだけ酷い食生活だったのだろう。小食なルーファスはそれで良くても、やはり育ち盛りのウィリーには辛いものがあったに違いない。可哀相に。

「奥様すごいなあ……」

「ええっと……」

ウィリーに尊敬の眼差しで見つめられ、ユーリは妙に気恥ずかしくなった。こんな当たり前のことで喜ばれるとは思わなかった。

（でも、嬉しい……）

この館にやってきて初めて、ルーファスの閨の相手としてではなくただのユーリとして役に立てた。それが、ユーリには嬉しかった。

「あの、僕にも教えてくれますか？　料理」

「うん、もちろんだよ！」

「ありがとうございます！」

ウィリーは嬉しそうに、満面の笑みを浮かべる。

まずはこの痩せっぽっちの少年に、お腹いっぱい美味しいものを食べさせてあげよう。

ユーリはそう、心に決めた。

そうしてウィリーと二人で作り上げた料理を食卓に並べ終わった頃、ルーファスが食事室にやってきた。

「おはようございます、ユーリ。ウィリー。おや……」

彼はいつもとは違う食卓に、目を見開いた。

むき出しで使っていた木の食卓には、白いクロスがかけられていた。

その上に並んでいるのは、サラダを添えたジャガイモのパンケーキに、ふわふわとろとろのスクランブルエッグ。スープ皿には、野菜のたくさん入った熱々のスープが湯気を立てている。

「…………」

ユーリ、そしてウィリーが固唾を飲んで見守る中、ルーファスはぱくりとパンケーキを口に運んだ。

ユーリお手製のドレッシングがかかったもちもち食感のそれを、瑞々しい葉野菜と一緒にもぐもぐと咀嚼する。

「……まあ、美味しいんじゃないですか」

「!?」

そんな彼の素直じゃない賛辞に、ユーリとウィリーは顔を見合わせ、「やった！」と手を合わせて微笑み合った。

二人も続いてフォークを手にし、二人で一緒に作り上げた朝食に舌鼓《したつづみ》をうつ。

豪華な食材を使っているわけではない。ありあわせの食材で作った、ごく普通の家庭料理。そんな普通の食事が、こんなにも美味しく感じられるなんて。

ウィリーはよほど嬉しかったのか、パンケーキとスープを何度もおかわりした。

その食欲旺盛な姿に気を良くしたユーリは、ウィリーの皿にたっぷりのスープをよそってやる。パンケーキもたくさん焼いてあるので、まだまだおかわりがある。

ルーファスも愛想こそなかったが、用意された食事は残さずたいらげてくれた。

（……ふふ……）

嬉しいなあ、とユーリは微笑む。

こうしていると、ごく普通の家族のようだ。自分が作った料理を食べてくれる人がいる。

そんな当たり前の暮らしに、ユーリは喜びを感じる。

萎れかけていた心が、再び息を吹き返していくような気がした。


食事の後は、食器洗いに調理場の後片付けだ。

広いはずなのに、調理器具や食器、食材が乱雑に置かれているせいで作業スペースが狭い厨房内。これでは使いにくいったらない。

調理場の物をいったん全て外に出してしまって、埃を払う。石畳の床はモップで拭き清め、棚や作業台は布で拭き清めた。

ひと通り掃除を終えると、今度は出していたものを使いやすいよう整理整頓しながら戻していく。

午前中いっぱい時間を使い、ユーリとウィリーは調理場を綺麗に片付けた。

軽い昼食で腹を満たした後は、勇ましく腕まくりをして、ばたばたと館内を掃除して回る。

もちろん、半日では終わらない。敵はなかなか広大だ。

口元をハンカチでおおって、頭には白い布を巻いて埃から身を守る。そうして羽箒《はねぼうき》を片手に、ぱたぱたと上から下へ容赦なく埃を振り落としていく。

落ちた埃は箒で掃いて、最後にモップがけ。モップを洗うバケツの水はすぐに真っ黒くなって、ユーリは何度も重いバケツを手に水場を行き来した。

だがモップを洗うバケツなど、花を活ける大きなバケツに比べれば軽いもの。花屋の仕事で鍛えたユーリの腕は、軽々と水の入ったバケツを運んでいく。

きゅっきゅっと、拭けば綺麗になる床に思わずにんまりとしてしまう。成果が目に見えるのは良い。楽しくなってくる。

最後に、棚や調度品を綺麗に拭き清めた。

「……はぁ、すっきりした！」

ユーリは満足気に頷いた。まだまだ掃除をしなければならない場所はたくさん残っているが、やはりこうして綺麗になったのを見ると気分が良い。

久しぶりに健康的に身体を動かしたためか、なんだか身が軽くなったような気もした。

もちろん、ばたばたと忙しく働きまわって疲れてはいるのだが、それよりも充実感が勝っている。

明日はまた、別の場所を掃除しよう。それから、窓も綺麗に拭いて……

ふふふ、と。上機嫌に鼻歌を歌いながら、ユーリは夕飯を作るため、再び厨房に戻った。

＊　＊　＊

「……………」

入浴を終えたルーファスは、寝台の上でくうくうと寝息を立てるユーリを見下ろし、はあ、と長いため息を吐いた。

先に湯を浴び、寝台で待っている間に眠りに落ちてしまったのだろう。掛け布もかけず、シーツの上にころんと転がっている。

「ふっ……」

その寝顔の呑気さに、思わずルーファスの口元から笑みが零れた。

ルーファスは音を立てないように寝台に乗って、そっと彼女の頬に触れる。

「………むにゃ」

色気のない寝言を吐いて呑気に眠るユーリの頬をそっとつねってみる。びにょんと伸びた頬の、間抜けな顔に悪戯《いたずら》心が刺激される。

マシュマロのような柔らかさを堪能するように、ルーファスはふにふに……と何度も頬をつまんだ。けれど、彼女はすうすうと寝息を立てたまま、ちっとも目覚める気配が無い。

疲れているのだろう。

このところ、ユーリは朝早くからばたばたと立ち回っている。

三度の食事の支度に、館内の大掃除。今日などは、窓辺に張り付いて窓ガラスを拭いていた。三階の屋根に上って窓を拭いているのを見たときは、落ちやしないかとひやひやしたものだ。

「…………ふむ」

ここへ連れて来たばかりの頃はびくびくとしていたくせに、今ではすっかり『働き者の妻』の顔になっている。ルーファスが当初思い描いていた結婚像とは少し違っているが、楽しそうに掃除して回っている姿を見て、これはこれで良いかもしれないとも思う。

これで、褥の中でももっと素直に甘えてくれたら完璧な『妻』なのだが。

もっとも、いやいやと恥ずかしがるユーリを抱くのもまた、ルーファスにとっては愉《たの》しみの一つではある。

「……すぅ…………すぅ……」

ルーファスはユーリの隣に寝そべると、無防備に晒されている彼女の首筋に唇を這わせた。

「ん……」

自分のものであると知らしめるように、肌をきつく吸い上げ、痕を刻んでいく。ユーリの白い肌に、赤い痕はよく映えた。満足気に笑うルーファスは、もし彼女に首輪を嵌めるとしたら、やはり赤い色が良いだろうとひとりごちる。

赤い首輪を嵌められ、銀の鎖に繋がれ、涙を浮かべながら自分を見上げるユーリはさぞ愛らしいだろう。彼女に今のところ逃げる素振りはないが、もし少しでも逃げようとしたら、すぐに鎖で繋いで軟禁してやろうと彼は思っていた。

自分を拒むなんて許さない。

ユーリがその瞳に映すのは自分だけでいい。自分無しでは生きられないくらい、堕ちてしまえばいい。

「ユーリ……」

ルーファスは熱い吐息と共に彼女の名を吐き出すと、ユーリの胸元に顔を寄せた。

「むにゃ……ルーファス……」

「…………ユーリ？」

眠っていたユーリがわずかに身じろいで、ルーファスの名を口にした。むにゃむにゃと動く唇に無邪気な寝顔は、どこまでも無防備だった。

「…………」

深い口付けで無理やり起こすなり、眠っている彼女を抱いてしまうこともできはするが、彼女の寝顔に毒気を抜かれたルーファスは、はあ……と今夜何度めかのため息を吐いた。

「……しょうがありませんねぇ……」

彼女の身体を抱き寄せると、掛け布をかけてやる。

今日くらいは、ぐっすり寝かせてやろう。

「……おやすみなさい、ユーリ……」

腕の中で眠るユーリにそっと口付けて、ルーファスはゆっくりと目を閉じた。

＊　＊　＊

ユーリは今日も掃除道具を片手に館内を忙しく歩き回っていた。

館の二階はほとんどの部屋が空き部屋だったが、中には鍵がかかって入れない部屋もあった。

(鍵のかかっている部屋には入っちゃ駄目……)

ルーファスの言いつけを思い返し、鍵のかかったドアノブから素直に手を離すと、ユーリはまた次の部屋を覗いてみる。

「ここは入れる……」

ギイ……と軋む音を立てて開いた部屋の中には、赤みがかった革製の古いソファや、飾り彫りの美しいオークのテーブルが置かれていた。埃を払って汚れを綺麗にすれば、まだまだ使えそうだ。元々、客を迎えるための部屋だったのだろう。ルーファスにもそれなりに思い出がある部屋だろうに、この放置ぶりには少し切なくなってくる。

「けほ……っ。すごい埃……」

使われていない部屋はどこも埃っぽくて、掃除のし甲斐《がい》がある。

「よぉし……」

窓を開けて換気をすると、長く籠っていた空気に新しい風が入って、ふわっと埃が舞った。

日の光に照らされる埃が、キラキラと白く光って見える。すごい量だ。

頭と顔を布で覆っていて良かったと思いながら、ユーリは手慣れた仕草で羽箒を振り回し、埃をはたいていく。そして床を箒で掃いて、湿ってカビ臭い絨毯はくるくるっと巻いてしまった。元は良い物のようだが、これはもう使えない。潔く捨ててしまおう。

そうして空いた床を綺麗にモップで拭いて、使わない家具や調度品には埃よけに白い布を被せた。これで一段落だと思った。そのとき、

「……ん？」

ガタガタっと、どこかから家具を動かしているような物音が聞こえた。

「……？」

誰かいるのだろうか？

掃除を終えた部屋を出て、きょろきょろとあたりを見渡す。

すると、今度はバサバサっと紙を床に落としたような音が聞こえた。

「……ルーファス？」

物音のする部屋を探り当て、その重厚な造りの扉をそっと開ける。

しかしそこにいたのは、踏み台の上で重たそうな本を抱えるウィリーだった。

部屋の三方には、天井まで届く大きな書棚が壁一面に備え付けられている。書庫か書斎、なのだろうが、その書棚はほとんどが空いていた。

代わりに、たくさんの本がテーブルや床の上に平積みにされていて、中には紐で縛られたままの本もあった。

ルーファス達がこの町に越してきて、まだそう日が経っていない。引っ越し荷物の片付けがまだ終わっていないのだろう。先ほどの物音は、ウィリーが本を整理するために踏み台を動かしたり、持っていた本を誤って落としてしまった音だったのか。

これらの本を全て書棚に入れるのは、なかなか大変な作業だろう。自分も手伝おうと、ユーリは室内に足を踏み入れた。

「……っしょ……っと」

踏み台を使っても手が届かないようで、ウィリーの腕はぷるぷると震えていた。

「ウィリー」

「わっ！　ああああ！」

突然声をかけられて驚いたのか、ウィリーは持っていた本をバサバサッと床に落としてしまう。

その拍子に、ぶわっと大量の埃が舞う。

二人はこほこほっと咳き込みながら、床に散らばった本に手を伸ばした。

「ご、ごめん！　驚かすつもりはなかったんだけど……」

床には本だけでなく、何かの資料らしい紙もたくさん散らばっていた。それにも手を伸ばすと、ウィリーが慌てた様子で紙をかき集める。

まるで自分に見られたくないと言わんばかりの慌て様に、ユーリは首を傾げた。ちらと見た感じでは、文字が乱雑に走り書きされていて、見たことのない植物のスケッチも添えられていたが、詳しい内容まではわからなかった。

「すみません。あの、これは門外不出の研究で……その……」

言い難そうに言葉を濁すウィリーをそれ以上詮索することなく、ユーリは床に転がっている本を拾い上げると、落とした本が傷んでいないか、中のページに折り目はついていないかを慎重に確認して、ウィリーに手渡した。

「ごめんね。本の整理をしているの？」

「はい。あ、ありがとうございます」

ユーリから本を受け取って、ウィリーはこくんと頷いた。

「ロダンから持ってきた本を、片付けているんですけど……」

ウィリーはテーブルの上に積み上げられた本をちらりと見やり、苦笑いする。

進行状況は、山のように平積みされたこの本を見ればあきらかだった。

「全然終わらなくて……」

「すごい量だもんね……」

「はい！　先生はとても読書家なんです」

どこか誇らしげにウィリーは笑った。

どうやらルーファスは、この年若い助手に随分と慕われているらしい。

「私も手伝うよ」

「えっ……。でも……」

「一人より、二人でやった方が早いもの。ね？」

どうせ掃除をして回っていたのだ。本の整理も似たようなもの。ユーリはさっそく、机の上に置かれている本を手にとった。

「あ……ありがとうございます」

ユーリではどの本をどこに、そしてどういう風に並べたらいいのかわからなかったので、主にウィリーが場所を指示して、ユーリが本を並べていくという役割分担で作業は進んだ。

「奥様、力持ちですね……」

「ふふ」

ウィリーは、ユーリが重い本を何冊も軽々と持ち上げることに感嘆の声と尊敬の眼差しを向けてくれる。

花屋の仕事で鍛えられたユーリの腕にしてみれば、分厚い本の五、六冊は軽いものだ。

（……あ、そうだ……）

せっかく一緒に作業をしているのだから、この機会にウィリーのことを知ることはできないだろうか。

こんなに素直で働き者の少年が、どうしてあのひねくれ者で意地の悪いルーファスの助手になったのか、ユーリには不思議でしょうがなかったのだ。

本を並べる傍ら、ユーリはウィリーに尋ねた。

「そういえば、ウィリーはいつからルーファスの助手になったの？」

「僕……ですか？」

自分のことを聞かれたのが意外だったのか、ウィリーはきょとんと目を丸くする。

（そんなに変な質問だったかな……？）

それとも、聞いてはいけないことだったのだろうか。

二人の間に流れる沈黙にユーリは不安に思ったが、ウィリーは「先生にしてみたら当たり前のことだったと思うのですが……」と前置きした後で、

「……僕、ロダンにいた頃に、先生に命を救ってもらったんです」

ユーリに新しい本を手渡しながら、ルーファスと出会った頃のことを話し始めた。

「僕の家はとっても貧乏で、父さんと母さんが流行り病に倒れても、お医者様に診てもらうのはもちろん、薬の一つだって買うお金がなかったんです。それで、父さんと母さんは死んでしまって……」

やっぱり聞いてはいけない話題だったのかもしれない。

本のカバーを整え、タイトルごとに並べ替えながら静かな口調で話す少年に、ユーリは罪悪感でいっぱいになった。

「僕も、おんなじ病気にかかって。でも、生きていくには仕事をしなくちゃいけなくて……。それで、煙突掃除に行く途中、道で倒れてしまって……。そこを、先生に助けてもらったんです」

「……ルーファスが……」

「はい！　先生は僕を、病院まで運んでくれました。それで、薬を飲ませてくれて。そのおかげで僕、助かったんです」

けれども少年には、薬代を払う余裕はなかった。明日のパンを買うのにも不自由する生活だったのだ。

そのことを蒼白な顔で謝罪し項垂れる少年に、しかしルーファスは金を求めることはしなかったらしい。

「『気まぐれにやったことですから。懐かしい人にあなたが似ていたので、たまたまです』って。それだけじゃなくて、身寄りのない僕のことを助手として雇ってくれたんです」

ルーファスの身の回りの世話をしたり、雑用をこなす助手として。

「それから、先生は僕に読み書きを教えてくれました。時々、勉強も教えてくれるんです」

けなげなこの少年は、言いつけられた仕事の合間に、時折ルーファスに教えを乞いながら、勉強に励んでいるらしい。

「僕、先生みたいなお医者様になりたいんです！」

自分の命を救ってくれたルーファスのように、自分も誰かの命を救えるような、そんな立派な医者になりたいと、ウィリーは目を輝かせる。大人しい印象だった少年のそんな熱意に満ちた眼差しに、ユーリは胸が熱くなった。

「……僕、奥様にもとっても感謝してます……」

「え……？」

私に……？　と、ユーリは目を丸くする。

「奥様の作ってくれるごはん、とっても美味しいです。それに、奥様が家事を一緒にやってくださるようになってから、勉強できる時間が増えました！」

「ウィリー……」

遊びたい盛りだろうに、少年は空いた時間で医者になるための勉強をしている。そしてそれができることを、純粋に喜んでいるのだ。

「先生も、前よりもっといっぱい教えてくれるようになって……。奥様が来てから、先生とっても嬉しそうです」

素直で向上心があって努力家で、なんて良い子なんだろうとユーリは思った。意地悪なルーファスには勿体ないくらいの良い助手だ。

けれど、こんなに良い子に慕われているのだから、ルーファスもそんなに悪い人ではないのかもしれない。

（……すっごく、意地悪だけど……）

少年の命を無償で救った立派な医者。そして彼を引き取り、仕事と教育を与えている。

（……立派なお医者様に、なったんだ……）

酷い男だと思っていた幼馴染みの意外な一面を知って、ユーリは少しだけ嬉しくなった。

＊＊＊

それから一週間ほどかけて、ユーリは館内をひと通り掃除し終えた。

大掃除が一段落ついた彼女は、今度はモップとバケツの代わりに洗濯物が山ほど入った籠を抱えて、ぱたぱたと廊下を走っていた。

洗濯場に溜まっていた汚れ物は掃除をしながらも細々洗ってはいたが、なかなか減らなかった。それを、掃除が一段落ついた今日まとめて洗ってしまおうと思ったのである。

折よく、空は雲一つない快晴。この暖かな日差しの下で干せば、すぐに乾いてくれるだろう。

小さな洗濯物は丁寧に手洗いをし、カーテンやシーツなど大きな洗濯物は、思いきって足で踏んで洗う。

たっぷりの石鹸の泡を使って、足で踏み洗うのはとても楽しかった。

洗い終わったら、よく水ですすいでぎゅっと絞る。そしてそれを籠に入れて、物干し場へと運んで、ピンと張ったロープにかけて干す。これを何度も繰り返すのだ。

「忙しい忙しい」

言いながら、走る彼女の口元はゆるんでいる。

忙しくしていられるのが、ユーリには嬉しかった。

やっぱり自分には、こういった生活の方が性に合っているのだ。

父親が生きていた頃は、冷たい水に手を晒しながら何百本と花を水あげした。お客さんの手に渡る頃、ちょうど満開を迎えるような蕾も、売れ残ってしまってすっかり花開いてしまったものも、毎日世話をした。

花屋の仕事は大変だったけど、それ以上にやりがいもあって、楽しかった。

いつかまた、あの日々に戻れたら。そんなことを思いながら、洗濯籠を抱えてパタパタと駆けていたユーリだったが……

「ユーリ」

「んっ」

名前を呼ばれたかと思うと、あっという間にしなやかな腕の中に閉じ込められる。

ユーリはそのまま、近くの部屋——ルーファスの書斎に引きずり込まれた。

「ル、ルーファス!?」

突然人攫いのように捕まえるから、ユーリは驚いて、持っていた籠を廊下に落としてしまった。

しかしルーファスは頓着せず、書斎の中央に置かれたソファに腰かけると、その隣にユーリを座らせる。

「毎日家事を頑張るのは結構ですが……」

ルーファスの手がユーリの手を摑み、慈しむようにそっと、その指先を撫でた。

「……っ」

どきっと、ユーリの胸が高鳴る。

（……ど、どうして……？）

こんなふうに触れられるのは初めてではないのに、胸の鼓動は速くなるばかりだった。

優しく伏せられた彼の双眸のせいだろうか。

それとも、壊れ物に触れるような手つきの優しさのせいだろうか。

胸がどきどき……する。

「手が荒れていますよ」

「あ……えっと。これは……」

ユーリの指先は、赤くかさついている。これは花屋をやっていたときからの職業病のようなものだ。家事をやるようになってまた酷くなってしまったが、前とそんなには変わっていない。

「これを使いなさい」

ルーファスはポケットから小さな瓶を取り出した。

「？」

手渡されたその瓶の蓋を開けてみると、中からふわっとラベンダーの香りが漂ってくる。

「蜜蝋《みつろう》のクリームです」

「……こ、これ。ルーファスが？」

市販されている薬とは違い、瓶にラベルが無い。

まさかと思って尋ねると、彼は「そうですが何か問題でも？」と素っ気なく返した。

ユーリはまじまじと、白い陶器製の瓶を見つめた。ルーファスが自分のために薬を作ってくれるなんて、ユーリには信じられなかった。けれど現実に、自分の手の中には彼の手作りの薬がある。

それに、ラベンダーはユーリが子供の頃から好きな香りの一つだ。まさか覚えていて、この香りをつけてくれたのだろうか。

「……貸しなさい」

じいっと見つめたまま動かないユーリの手から瓶を奪うと、ルーファスは自分の指でクリームを掬って、ユーリの指先から全体に塗り込んでいく。

そっと、疲れをとってやるようにやわやわと手を揉みこんで、マッサージする。

自分の身体に触れるとき、いつも嗜虐的に笑む口元が今は真剣に引き結ばれていた。それがなんだかおかしかった。

(まるでお医者様みたい)

ルーファスの顔は、患者の診察をするお医者様そのものだった。

彼は本物のお医者様なのに、こんなふうに思うなんておかしいけれど、ルーファスのそんな気遣いが、ユーリには何より嬉しかった。

彼は丁寧にユーリの手にクリームを塗り込むと、瓶をユーリの掌に戻した。

「ありがとう……！　大事に使うね」

「大事になんてしないで、マメに使いなさい。それくらい、なくなったらまた作りますから」

「うん！　ありがとう、ルーファス」

「……ユーリ。家事をするのも結構ですが、休憩はきちんととりなさい。働きすぎて倒れられては困ります」

「あ……」

ユーリの礼には反応を示さず、ルーファスは淡々とした口調で小言を言う。

自分の本来の役目は、ルーファスの閨の相手を務めることなのだ。

この頃は疲れてぐっすりと寝入ってしまい、ルーファスと身体を重ねることもなくなっていた。

それを咎められているのだろうと、ユーリは項垂れる。

「とにかく、適度に休みなさいと言っているんです。そういうわけでユーリ。一緒にお茶でも飲みましょうか」

「え……?」

「私が用意してくるので、ここで待っていなさい。ユーリにご褒美があるんですよ」

困惑するユーリを前に、ルーファスはにっこりと微笑んでいた。

ルーファスの言いつけどおり、一人大人しくソファに座って待つユーリは、そわそわと落ち着かない気持ちでいた。

(……何か嫌な予感がする……)

彼が『ご褒美』という単語を使うときは、決まって何かいやらしいことをしようとしているときなのだ。『おしおき』もしかり。

共に時を過ごす中で少しずつルーファスという男の性格を学んだユーリは、警戒心を露わにしていた。

そして数分後、ルーファスはティーセットを載せたワゴンを押し、書斎に戻って来た。

「わあ……！」

ワゴンの上には、白磁のティーポットと二人分のティーカップ、それにクリームとフルーツたっぷりのケーキがワンホールと、色とりどりのマカロンが載せられていた。

「どうやらあなたは、色気よりも食い気のようなので」

「う……」

ユーリは数日前、大量の荷物が寝室に運び込まれてきたときのことを思い返す。

町の百貨店や仕立屋から届けられた箱を開けると、それらは全て綺麗なドレスや靴、装飾品だった。

『これ……』

驚きに目を見張るユーリに、ルーファスはどこか得意気に新しいドレスを手にとると、彼女の身体に当ててみせる。最新の流行を取り入れた翡翠色の細身のドレスは、ユーリによく似合っていた。

『全部、あなたのものですよ。私のものになったのですから、これくらい当然です』

『…………』

ユーリは押し黙って、自分に与えられた美しいドレスや装飾品を見つめる。

だが、『お前は自分専属の娼婦になったのだから、これで着飾っていろ』と言われているようで、素直に喜べなかった。何より、そんな高級品は自分に似つかわしくないし、万が一汚したり壊したりしたらと思うと進んで使う気になれない。

だから彼女はルーファスの用意したドレスにはあまり袖を通さず、代わりに元々持っていた古いドレスを着ている。そして家事をするには邪魔だから、装飾品の類も身につけていない。

けれど、いま目の前に用意された色とりどりのお菓子はどんな宝石よりも素敵に映った。色気より食い気と言われても否定できない。ユーリの目は今キラキラと輝いている。

ルーファスはピンク色のマカロンを一つ、手にとった。

「頑張っているあなたに、ご褒美です」

優しげに、赤い瞳が細められる。

そして彼はそのマカロンを、ユーリの口元へ運ぶ。

「ルーファス……！」

いやらしいことをしてくるに違いないと疑ってしまった自分が恥ずかしく、何より彼の気持ちがとても嬉しかった。

「家事に励む妻を労うのも、夫の役目でしょう。さあ、食べなさい」

「……っ」

ユーリはぱあっと目を輝かせて、ぱくっとマカロンを口に含む。

ルーファスが、自分を労ってくれた。それも、夜の相手としての自分を、ではない。妻として、家事をする自分を褒めてくれたのだ。それが嬉しかった。

「おいしい……っ」

さくっと、軽い食感に、口の中に広がる甘酸っぱいベリーの風味。

ユーリはほっこりと顔を綻ばせた。

「ふふ……。さあ、ケーキもどうぞ」

上機嫌らしいルーファスは、フォークでワンホールのケーキを大胆に一口分切り分けると、それをユーリの口に運んだ。

「ん……」

まるで飼っている小鳥に餌付けするような行為だが、ユーリは素直にそれを口にする。

彼に食べさせられているという恥じらいよりも美味しいお菓子が食べられる嬉しさが勝り、もぐもぐと口を動かす。

「美味しいですか？　ユーリ」

「うん……っ」

甘いクリームを引き立てる、甘酸っぱいフルーツ。そしてふわふわのスポンジ。

ほっぺたが落ちそうなくらい美味しい……！

「それはよかった……」

にっと、ルーファスの口元が笑む。彼は次にたっぷりと生クリームをつけたケーキの一欠片を、再び彼女の口に運んだ。

「あっ……」

生クリームが口の中に収まりきらず、ユーリの唇の端を汚してしまう。慌てて指で拭おうとしたユーリだったが、その前に手を捕らえられた。

「おっと。これは失礼」

ちゅ……

「んっ!?」

ルーファスの唇が、ユーリの口の端に触れた。ぺろっと、彼の舌がクリームを舐めとる。

「……甘すぎやしませんか？　これ」

どうやら彼の口には甘すぎたらしい。その柳眉が顰められている。

「……っ、お、美味しいよ……？」

ルーファスの端正な顔が、間近に迫っている。どきどきと心臓が高鳴った。

「…………ふ」

そんな反応を嘲笑うように、笑みを浮かべたルーファスは「私はこちらの方が良いです」と、ユーリの首筋に口付けた。

「あっ……」

ちゅ……と、肌を吸われ、ユーリの身体がびくっと震えた。恥ずかしさのあまり、ユーリの頬が林檎のように赤く染まる。

そんなユーリを尻目に、今度はルーファスの手がやわやわとエプロンの上から彼女の膨らみを揉み始める。

「ルー……ファス……っ」

と同時、くるっと身を反転させられ、背中から抱きしめられ、彼の膝の上に乗せられた。

後ろから伸びるルーファスの手が、ぽちぽちと、エプロンの下にあるドレスのボタンを外していく。

「や……だ……だめだ……ってば……」

（や、やっぱりいやらしいことをしようとしていたんだ……）

ユーリの嫌な予感は的中した。彼が見せてくれた優しさもこのためのものだったのかと思うと、胸が切なく痛む。

こうなる前に逃げれば良かったと、まんまと餌に釣られた自分を苦々しくも思った。

「ふふ……。でも、あなたのここはこんなに硬くなっていますよ……?」

「あっ」

カリカリっと、シュミーズ越しに頂を刺激され、ユーリは甲高い声を上げた。

引っ張るように乳房を優しくつねられ、やわやわと揉まれて、頂が硬く勃ち上がっていく。

「……っ……」

「ん……ちゅ……」

ふいに、首筋を熱く湿った舌が舐め上げる。つつつとユーリの肌を這うルーファスの唇は、顎、頬と上がっていき、耳たぶをはみっと甘噛みする。

熱い吐息が、耳朶に触れた。

「や……ルー……ファス……だめ……」

書斎の扉は開いたままになっているのだ。いつ、ウィリーが通りかかるかもわからない。

それに、こんな明るいうちからこんなところで淫らなことをするなんて、ユーリには考

えられなかった。

「やっ……だめぇ……」

それに、ユーリにはまだ仕事が残っている。洗濯場にはまだまだ洗濯物が溜まっているのだ。

「だ、駄目だってば！」

ゴン！　と。ユーリは勢いよく後ろに頭を振った。

「つ……っ」

ユーリの後頭部が顎に綺麗に直撃して、ルーファスは悶絶する。

「……っ。ご、ごめんルーファス！　でも、駄目なの！」

「…………」

ルーファスに抱かれるのが自分の第一の仕事だと、わかってはいる。

それに今、ユーリは彼に抱かれることを心底嫌だとは思わなかった。そんな自分に、誰よりもユーリが一番驚いている。

自分が酷く恥ずかしい人間に、そしていやらしい人間に変わってしまったような気がして、羞恥に顔が赤らむ。

しかしだからこそ、ルーファスに言われるがまま淫らに身体を開いてしまいそうな自分を、ユーリは必死に自制した。抱かれることに抵抗はなくても、やはりこんな真昼間から誰に見られるかもわからない場所で身体を重ねるのは避けたい。ここで流されてしまったら、この先ずっと流されることになるだろう。

　顎を押さえたまま動かないルーファスに、ユーリは顔を真っ赤にして言った。

「そ、それに……その……。こ、こういうことは…………よ、夜じゃないと……」

「…………ほう。夜ならいいんですね」

　顎を押さえたまま、しかし目を見開いて自分を見上げるルーファスに、自分は何を口走ったのかと、ユーリの顔がさらに赤く染まる。

　夜なら抱いてもいいと、自ら誘ったようなものではないか。

「っ。お、お菓子、ありがとう……！」

　顔を真っ赤にして、ユーリは逃げるようにばたばたと書斎から出ていった。

　そしてその日の夜、彼女がルーファスにたっぷりと可愛がられたのは、言うまでもない。

＊　＊　＊

　乱れたシーツの上、黒髪の少女はくったりと身体を横たえている。

汗に濡れた額を撫で、その髪にちゅ、と口付けを落としても、彼女の目が開くことは無い。

「……ふふっ……」

満足気に、彼はユーリの身体を抱き寄せた。

自分の腕の中で乱れながら、いやいやと首を振り泣いてよがるユーリはとても愛らしかった。しばらく抱けていなかったために溜まっていた熱を何度も刻み込んでしまったが、もっともっと、彼女を淫らに啼かせたい。啼いて啼いて、自ら自分を求めてくるまで責め立てて。そうしてユーリが、自分のことしか考えられなくなるほどに。

「これで終わりではありませんよ……？」

目を覚ましたら、またたっぷりと可愛がってあげよう。自分という存在を、この華奢《きゃしゃ》な身体に刻みつけるのだ。

「……ユーリ……」

愛しい、愛しい……自分だけの美しい花。

ユーリ・エインズワース。いや、結婚誓約書にサインしたときから、彼女はユーリ・ブラックフォード。ルーファスの妻だ。

彼女が借金返済のために娼婦になると聞いたときには、呆れた。

馬鹿馬鹿しいにもほどがある。自分が作った借金ではない、父親の友人の借金のためにどうしてそこまでしなければならないのだ。踏み倒して逃げるなり、娼婦になる以外にも方法はあったろうにと、ルーファスは彼女のお人好しっぷりに嘆息した。自分の貞操《ていそう》を、そんな簡単に売り払ってしまうのかと。

けれど、昔のまま変わっていないのだなとも思った。

『お前、気持ち悪ぃんだよ！　ウサギみたいな色しやがって！』

『ウサギ！　ウサギ！』

『お前、父親のジッケンドウブツなんだろ！　お前がそんな色なのは、お前の親父の薬のせいだって、みんな言ってるぞ！』

生まれつき白い髪と赤い瞳のルーファスを、町の子供達はそう揶揄した。

そしてルーファスが『黙れ！』と逆らうと、『ウサギのくせに』『ジッケンドウブツのくせに』と、さらに囃《はや》したてて彼を小突いた。

痩せた身体はいつも泥まみれにされ、石を投げられたことさえあった。

悔しさに滲む涙を流すまいとして、ぎゅっと唇を噛み締めたのは、彼の矜持がそれを許さなかったからだ。

『低能共め……』

根拠の無い言いがかりをつけて他者を貶《おとし》めるしか能の無い幼稚《ようち》な奴らを、ルーファスは内心で見下していた。そうすることで、自分を守っていたのだ。

けれどそんないじめっ子達より何より彼を惨めにさせたのは、自分を庇う黒髪の少女の存在だった。

『やめなさいよ!』

二つ年下で体格だって変わらないくせに、彼女はいつだってルーファスを背に庇い、いじめっ子達を睨みつけた。

(余計なことをするな……!)

身体は小さくても矜持は高かった彼にとって、年下の少女に庇われるというのは屈辱以外の何物でもなかった。

『ちっ。ルーファス、女に庇われてやんの』

『女に守られる、よわーいウサギだもんな』

ユーリが来ると、いじめっ子達は悪態は吐くものの、ルーファスにするようには手を出してこなかった。何故なら彼らは、町で一番可愛いユーリに気があったからだ。そしてそんなユーリが庇うから、ルーファスへの風当たりは余計にきつくなる。そのことを、少女本人はまったく知らないだろうけれど。

なおもルーファスを馬鹿にしながら去っていく彼らを「フン！」と鼻息荒く睨みつけるユーリに、ルーファスは苛立って何度も酷い言葉を投げつけた。

誰も庇って欲しいなんて言っていない。助けて欲しいなんて思っていない。

あんな奴ら、自分一人でどうにでもできるのだ。それなのに、ユーリはいつも余計なことをして台無しにする。

『偽善者め！』

『む！　なによ、ルーファスのばか！』

ユーリは当然、ルーファスの言葉に怒った。

それでも不思議と、彼女は懲りずにルーファスの傍にやってくる。

どんな悪態をルーファスに吐かれても、次の日にはけろっとした顔で、ルーファスを遊びに誘い、またいじめっ子達から庇うのだ。

弱い者いじめ——ルーファスは認めたくなかったが——を見過ごさない、正義感溢れる心優しい少女。良く言えば善人。悪く言えば、お人好し。

ルーファスはこのお節介な年下の幼馴染みのことが大嫌いだった。いつも惨めな気持ちにさせる分、いじめっ子達よりもタチが悪い。

けれど、一家揃ってロダンへ引っ越すことになったとき、それが間違いだったと、彼は気付かされた。

『早くロダンに行きたい……』

ルーファスはロダンで暮らすことを楽しみにしていた。身体を動かすより頭を使うことの方が得意で、本を読んだり父に習って勉強をすることが好きだった彼にとって、大陸の英知が集まる学術都市での生活は、夢のようなものだった。まだ知らぬたくさんの知識を前に、ルーファスはわくわくと心弾ませていた。ロダンで医学を学び、父のように立派な医師になるのだ、と。

(……べ、別に、ユーリが『お医者様のお嫁さんになる』って言ったから目指すわけじゃじゃ……ない)

自分は元々医師を目指していたのだと、ルーファスは自身に言い聞かせるように心中で呟く。その頬は、少し赤みを帯びていた。

(そ、それに、ロダンにはこの町のように低能な子供もいないだろうし。お節介で忌々しいユーリもいない。ああ、清々する)

そう、楽しみにしていたのに。

『……ルー……ファス。元気でね……』

別れの日。嗚咽《おえつ》を堪え、緑の瞳に涙を溢れさせた少女の顔を、ルーファスは今でも忘れられない。

『……ユーリ……』

いつも笑っていた少女が、泣いている。

ぽろぽろと零れる涙を拭ってやりたいと思ったのは初めてだった。

『ロダンでも、元気でね。私、ルーファスのこと、わすれないよ……！』

真っ赤な顔で馬車を追いかけ、泣きながら大きく手を振ってルーファスを見送るユーリの姿に、何か大切な物を無くしてしまったような……そんな気持ちが込み上げてきた。

『…………』

彼女はもう、自分の傍にはいないのだ。

もう、毎日顔を合わせることもなくなる。それどころか、滅多に会えない。

そのことを想像したとたん、ルーファスの胸に言いようの無い寂しさが襲ってきた。

そして悟る。

自分はユーリが嫌いだったのではない。好きだったのだ。

好きだったからこそ、彼女に庇われるのが許せなかった。守られるのが辛かったのだ。

『ユーリ……』

愛しい幼馴染み。初恋の少女。

あの日からずっと、ルーファスはユーリを想っていた。いつか彼女が望むような『立派なお医者様』として身を立てて、彼女を迎えに行き、彼女を自分の妻に迎えるのだと。

他の誰にも渡すものか。彼女は、自分のものだ。

「絶対に、離さない……」

ルーファスは、今腕の中にある温もりを確かめるようにぎゅっと抱き締めた。

ようやく手に入れた、愛しい少女。

彼女の身に借金があったのは、彼には好都合だった。

娼婦に身を落とす選択をしたことには腸《はらわた》が煮えくり返ったが、そこから救ってやることを条件に、こうしてユーリを妻に迎えられたのだから。

そしてルーファスは彼女の純潔を奪った。

最初は身体だけで良い。十年越しの執着をその身に刻み込んで、快楽の海に溺れさせ、じっくり心を奪えばいい。

そして彼の思惑どおり、近頃はユーリも、ルーファスに少しずつ心を傾けているように感じられた。

ルーファスは、ゆっくりと楽しむようにユーリの肌を指でなぞる。

そして手に吸い付くような白い肌に口付けを落とし、いくつも赤い花を刻んだ。

「ふふ……」

彼女はもう、自分の手からは逃れられない。

けして、逃しはしない。

「愛しています。私の……ユーリ。可愛がってあげますよ、これからずっと」

意識の無いユーリの耳元に、ルーファスは優しく刷り込みをするように囁いていく。

「だからどうか、私から逃げないで、逆らおうなんて思わないで、ずっと私の傍にいてください ね」

四、

最初のお茶の時間以来、ルーファスはなにかとユーリに甘い物を与えるようになった。

クリームたっぷりのケーキや、さくさくのパイ、フルーツがふんだんに使われたタルトに、クッキーやショコラ。おまけにゼリービーンズにキャンディまで。

ドレスを買い与えるのと同じように、彼は次々にお菓子を買ってきてはユーリに食べさせようとする。

ユーリは困惑しながらも、その甘いお菓子をウィリーと一緒に食べた。

ルーファス自身は甘い物は好かないらしい。だというのに、この買い漁《あさ》りっぷりは何だろうか。

家事の合間、ユーリはウィリーや、ときにルーファスと一緒にお茶を飲み、彼が買ってきたお菓子を食べる。それがこの家の、新たな習慣になりつつあった。

「……うう。少し太った気がする……」

ルーファスの甘い物攻撃のせいで、このところユーリの身体は少しふっくらとしてきた。元々痩せぎみだったことを考えると健康的な肉の付き方といえるが、乙女心としては少々複雑だった。

それに……

『もっと肉をつけてくれた方が抱き心地も良くなる』

「っ！」

以前ルーファスに言われた言葉が頭を過って、思わず赤面してしまう。そのために太らされたようで、ルーファスの甘い物攻撃を素直に喜べなかった。

「も、もっと動かなくちゃ……！」

用意された甘い物を残すなど、そんな勿体ないことはできない。ならばその分動けばいいのだと、ユーリは考えた。

まず今日は外に出て、荒れ果てた庭を綺麗にしよう。

かつてルーファスの母が花やハーブを育てていた庭は、今や見る影もなく雑草が生い茂っている。

館内の掃除も終わり、溜まっていた洗濯物も片付けてしまった今、ユーリの次なる標的はこの荒れた庭だ。

(……おばさんのように、私もお花を育てたいな……)

かつて、ルーファス達が引っ越す前、彼が家族とこの家に住んでいた頃の、美しい花々がたくさん咲き誇っていた庭を思い浮かべる。

スイセン、クレマチスにクロッカス。チューリップ、ワイルドフラワー。ルーファスの母は『エインズワース花店』の常連でもあり、良い球根や花の種が手に入ると、いつも買っていってくれた。植物を育てるのがとても上手な人で、ユーリの父が感心するほど綺麗に花を咲かせてくれた。

バラを特に好んでたくさんの品種を庭に植えていたルーファスの母は、摘みとった花をポプリにしたりドライフラワーにして飾ったり、薔薇《ばら》水やジャムも作っていた。

自分もそれを見習って、またこの庭を復活させたいとユーリは思う。ハーブを植えるのもいいだろう。ラベンダーやミント、レモングラスやタイム、ローズマリーにバジルもいい。料理にも使えるし、ハーブティにもなるし、ポプリも作れる。

(……ルーファスに、お願いしてみようかな……)

庭で花やハーブを育てさせて欲しいと。

その花を使ってブーケを作るのも良いかもしれない。かつてのようにとはいかないが、その花を売るのはどうだろう？　自分で育てた花を商う、小さな花屋を開くのだ。

そうして少しでも、ルーファスにお金を返していけたら……と、ユーリは思案する。

（……うん。お願いしてみよう）

また淫らな行為を強要されるかもしれないが、言ってみる価値はあると、ユーリは医院へと足を運んだ。

＊　＊　＊

「うわー！　うわーん！」

耳障りな子供の泣き声に、ルーファスは辟易していた。

普段は閑古鳥が鳴き、滅多に患者の訪れないブラックフォード医院だが、今日は珍しく患者が来ていた。それも、ルーファスが最も苦手とする幼い子供――まだ五歳の少年だ。

なにせ幼い子供は我慢を知らないし、遠慮も無い。ちょっと診察するだけでも怯え、泣き喚いてうるさいことこの上ない。

「うああ――！」

「す、すみません！　すみません！」

「…………」

朝から熱があると母親に連れて来られたこの少年を診察したところ、いわゆる風邪を引いたようだった。そこで風邪に良く効く薬を煎じ、飲ませてやった。あとはしっかり栄養をとらせてゆっくり寝かせてやれば治る。

だというのにこの子供は、飲まされた薬が苦いと大泣きし始めてそれから動かないのだ。付き添いの母親が必死に子供を宥め、ルーファスに頭を下げるのだが、謝罪はいいから早く出ていって欲しいとルーファスは自分の耳を塞ぐ。

「苦いぃー！　まずいー！」

「美味しい薬なんてありませんよ」

ちっと舌打ちしたい気持ちを抑え、ルーファスが小さく呟いた。薬は一回飲めばそれで終わりではない。他にも喉の炎症を抑える薬と、鼻水を止める薬、風邪で弱った身体の抵抗力を高める薬を処方し、薬を飲ませる時間や注意事項を母親に告げたかったのだが、泣き声がうるさくてそれどころではない。

そういえば、小さい頃はユーリもよくルーファスの父に泣かされていた。父は自分に輪をかけて愛想が無かったし、患者に容赦なく苦い薬を処方するところも変わらない。だが不思議と、父がユーリの頭を撫でてやると、彼女はぴたりと泣きやんでいた。

父の仕事を覗き見ていたルーファスは——断じて、ユーリが心配で覗いていたのではない。後学のために見学していたのだ——いつもそれが不思議だった。

頭を一つ撫でられたくらいで、子供は泣きやむものだろうか。

「……ふむ」

ルーファスはふと思い立ち、かつて父がそうしていたように少年の頭に手を伸ばした。

「ひくっ」

少年の肩がびくっと震える。突然頭を撫でられて、彼は困惑の眼差しをルーファスに向けた。そして……

「びえええええええええええ！」

「！」

状況はさらに悪化した。にこりともせずに無言で自分の頭を撫でるルーファスが恐ろしかったのだろう。少年はいっそう声を張り上げて泣き喚く。

「……ふふっ」

そのときふいに、少年の泣き声に混じって微かな笑い声が聞こえてきた。ちらりとその声のする方を見れば、扉の影に見知った人物が立っている。

「……ユーリ。覗き見は悪趣味ですよ」

「!?」

そこにいたのはユーリだった。いったいいつから覗いていたのか、彼女はルーファスと少年の母親に慌てて頭を下げる。

「……ご、ごめんなさい」

それから泣いている少年に歩み寄り、しゃがんで視線を合わせた。

「はい、どうぞ。甘くって美味しいよ」

そう言って、彼女はポケットに入れていたキャンディを一つ、少年に手渡す。

そのキャンディは、ルーファスがユーリに買い与えたお菓子の一つだ。ケーキやパイとは違い、いつでも好きなときにつまめるだろうと思って取り寄せた。

「口の中の苦い物、ぜーんぶどこかにとんでっちゃうよ?」

ユーリはにっこりと少年に笑いかけた。

「……ひっく。う……」

すると少年は、ぐすっ、ぐすっと鼻を啜りながらも、ユーリに貰ったそのキャンディの包みを開き、口に含んだ。

右へ、左へ、口の中でキャンディをころころと転がすうち、少年の顔が笑顔に変わっていく。

「……おいし？」

「……っく。ん！」

「よかった。じゃあもう泣かないね！」

「うん！」

泣きやんだ少年の頭を、ユーリはよしよしと撫でてやる。かつては同じように泣いていた少女が、随分と大人になったものだとルーファスは妙に感心してしまった。

だが助かった。あの耳障りな泣き声から解放され、ルーファスはほっと息を吐いた。

それからしばらくして、母親は何度も頭を下げ、子供の手を引いて医院を後にした。

(本当に、変わってませんね……)

母子の姿が見えなくなるまで笑顔で手を振るユーリの横顔に、ルーファスは遠い日の記憶を蘇らせる。

ルーファスもあの少年と同じように、ユーリにキャンディを貰って慰められたことがあった。ユーリは小さい頃、ポケットにキャンディを入れる癖があったが、それは今も変わっていないらしい。

素直でないルーファスは、ユーリから差し出されたキャンディを毎回突っぱねていた。

それでも何度目かに無理やり手渡されてしぶしぶ口にしたそれは不思議と美味しく、心がほっと温かくなるようだった。そして、黙ってキャンディを舐めるルーファスをじいっと見つめ、得意気な顔をするユーリを見ると思わず顔が赤くなってしまい、ばつが悪くてすぐに目を逸らしてしまったものだ。おまけに、「しょうがないから舐めてやるんだ」とか、「べつにおいしくない、こんなもの」などと、強がりを言っていたように思う。

我がことながら、随分とひねくれた少年時代を送っていたものだとルーファスは自嘲する。

「……まぁ、飴玉一つであのやかましい泣き声がどうにかなるなら……」

今度から診察室にもキャンディポットを常備しようかと呟くと、ユーリは満面の笑みを浮かべて賛同した。さらに、小さい子供用にぬいぐるみを置こうと提案までしてくる。ぬいぐるみと一緒に働くのは勘弁願いたいと思ったが、ユーリがあまりにも無邪気な顔で笑うので、まあ許してやってもいいかもしれないと思った。

「でも、一番良いのは苦くないお薬をあげることだと思うなぁ。甘いお薬とか。たとえばそう……シロップみたいなお薬！」

未だに苦い薬が苦手らしいユーリが、期待を込めた眼差しでこちらを見つめてくる。

ルーファスが学んだロダンの医術学校では、たしかに、子供用にと甘いシロップ状の薬も開発されていた。けれどルーファスは、それを自分の医院に導入するつもりはなかった。薬が苦いのにはちゃんと意味がある。苦味には熱を取り去り、解毒する働きがあると言われている。ルーファスはそれらの働きも考えた上で、薬を煎じているのだ。もっとも、その効果を損なわずに甘くする方法もあるにはあるが、面倒くさいのでやりたくなかった。

それに、とルーファスはふっと小馬鹿にするように笑う。

「薬が美味しかったら、飲みたがる馬鹿が病気に罹《かか》ろうとするでしょう」

「んなっ」

誰のことを言っているのか気付いたのか、ユーリがむっと顔を顰める。

「飲みたがる馬鹿って、私のこと!?」

その子供っぽい顔は、幼い頃の彼女とまったく変わらない。ついこの間、淫らな顔で自分の性器を咥えて喘いでいたとは思えないほどの純真さで、ルーファスの心を捉えるのだ。

ルーファスは笑みを零し、彼女の小さな頭をぽんぽんと撫でた。

「よくわかりましたね、ユーリ」

「もう！」

ユーリはますます顔を赤くして、ぽかぽかとルーファスの胸を叩いてくる。だがその手がはっと止まって、きりっと表情を正すと、「ルーファスにお願いがあるの」と言い出した。

「あの、庭で花やハーブを育てたいんだけど、良い……かな？」

突然何を言い出すかと思ったら、前回は「家事がしたい」で今回は「庭作りがしたい」ときた。つくづく、動いているのが好きな娘だと思う。

そういえば、ユーリは昔からルーファスの母が育てている花をキラキラとした目で見つめていた気がする。実家が花屋ということもあるだろうが、根っから花などの植物が好きなのかもしれない。

「お願いします……！」

いつかのときと同じように、両手をぎゅっと組み合わせて懇願するユーリの姿に、ルーファスはにっと笑みを深める。

「ユーリ。おねだりをするときはどうするか、教えてあげたでしょう？」

「!?」

ユーリの顔が、今度は羞恥に真っ赤に染まる。そうして恥じらいながらルーファスを見上げる様は、まるでいやらしく苛められることを期待しているようにも見えて、そうされたくておねだりに来たのではないかとすら思えてしまう。

その頬に手を這わせ、さて今度はどんな風に苛めてあげようかと思案するルーファスの顔は、にやにやと締まりがなかった。

「ま……また、しなきゃ、駄目……？」

「駄目です。その代わり、きちんとおねだりできたらたくさん花を買ってあげましょう」

言って、ルーファスはユーリの身体を横抱きに抱き上げた。

「わっ……」

「たっぷり可愛がってあげますよ、ユーリ」

そしてルーファスはユーリを連れて寝室に籠った。ブラックフォード医院は早めの閉院である。

彼がユーリの「おねだり」に満足して彼女を解放したのは、次の日の明け方のことだった。

＊　＊　＊

ルーファスとユーリが結婚して、ひと月が経った。

（ここも……随分変わりましたねぇ……）

物の増えた院内を見て、ルーファスはそうひとりごちる。

ユーリが来てから、医院の雰囲気が明るくなった。

それは、町外れの医院にわざわざ診療に訪れる、もの好きな患者に言われた言葉だ。

「良いお嫁さんを貰いましたね、先生」と。

たしかに変わった。そしてそれが影響しているのか、来院する患者も増えたのだ。

以前は殺風景だった待合室には、至るところに観葉植物が置かれ、窓辺にはグラスに挿された野の花が飾られている。その隣には、幼児用にとユーリが手縫いしたぬいぐるみまで居座っていて、ルーファスには何が良いのかさっぱりわからないが、そのぬいぐるみは小さな子供やその母親に好評だった。なかには欲しがる患者もいて、ユーリは恥ずかしそうにしながらも、張り切ってその患者のためにぬいぐるみを縫ってやっていた。

さらに、それらの観葉植物やぬいぐるみは待合室だけでは収まりきらなくなってきて、やがて診察室をも侵食し始めていた。

ルーファスがそのぬいぐるみを使って小さな子供をあやす、などということはもちろんなかったが、たしかにぬいぐるみは小さな子供の気持ちを宥めるらしい。じっとそのぬいぐるみに見入って大人しくしている子供の診察をするのは、存外楽だった。

大人の患者は、仏頂面の医者と愛らしいぬいぐるみの組み合わせがおかしいようで、笑いを堪えている者もいたが、そういう輩には遠慮なく普段よりも苦い薬を処方してやった。

苦い薬といえば、薬の口直し用にとキャンディポットが置かれるようになった。

子供が来たときは、薬と一緒にキャンディを一つ手渡すのだ。おかげで泣き喚く子供を黙らせることができるので、その点はユーリに感謝している。

医院だけではない。住居スペースである隣の屋敷の中も明るく清潔に整えられていた。いつも掃除の行き届いた部屋に、清潔なリネン、さらに健康的で美味しい食事が毎日用意されている。

助手のウィリーもすっかり「奥様、奥様」とユーリに懐いて、二人が一緒に家事をしている姿は、仲の良い姉弟のようで微笑ましくも思った。

たしかに自分は、良き妻を得たのだろう。働き者で可愛らしくて、そして夜は恥じらいながらも、淫らに自分に従う妻。

ルーファスは一人満足気に微笑む。

彼女と暮らすようになってから、ルーファスは酷く殺風景だった自分の心に、ひとつひとつ温かなものが増えていくような、そんな感覚を覚えていた。それは彼女と共に過ごす時間だったり、彼女が見せる笑顔だったり。それをもっと見たいと思う自分や、彼女のために何かしてやりたいと思う気持ちだ。

ユーリを愛しいと思うたび、胸が温かくなる。そして今まで以上に、彼女への執着が募っていくのを感じていた。

可愛いユーリ。彼女を手放すなんて、考えられない。

「ユーリ……」

診察室の窓の外、中庭ではその愛しい妻が草むしりに精を出している。目下彼女の関心事はこの荒れ果てた庭にあるらしい。

かつてルーファスの母が大事に育てていた庭をもう一度甦らせたいと彼女は言い、ルーファスに花の苗や種をねだってきたのだ。

本当ならそれくらいすぐに好きなだけ買い与えてやれるのだが、ルーファスはわざとユーリに「おねだり」をするよう仕向けた。

「ふふふ」

そのときのユーリの痴態を思い出し、ルーファスは口元を綻ばせる。

そこへ突然の来客があった。

「……ぷっ。思い出し笑いとか気持ち悪いなぁ、このやぶ医者」

茶化すようなふざけた口調に眉を顰めて振り返ると、黒いローブを目深に被った長身の男が入り口の戸に寄りかかっていた。

この男が気配も無く忍び入ってくるのはいつものことだ。ルーファスは「ちっ」と小さく舌打ちして、男を睨みつける。

「レイヴン……。ノックも無しに入ってくるなと言ったでしょう」

「したよー？　したけどやぶ医者ったら自分の嫁をニヤニヤ見つめちゃってて気付かないんだもん。しょうがないよねー？」

からかうような口調にルーファスの機嫌はさらに下降する。本当はノックなどしていないことはわかっている。

「ニヤニヤなんてしてませんよ。とうとう目まで悪くなったんですか？」

「まで、って何よ、まで、って。まるで俺の頭が悪いみたいじゃない」

「よくわかりましたね」

嫌味を込めて、ルーファスはにっこりと微笑みかける。

「うん。だって俺、顔は悪くないからね」

レイヴンと呼ばれた男も、同じくにっこりと微笑んだ。

今はローブで隠されたこの男の容貌がそこそこ整っていることをルーファスは知っている。だが、それをあけすけに言うレイヴンの性格が気に入らない。

「……で？　あなたがここへ来たということは、また……ですか」

「そお！　これ、リストねー。いやー、ホント人使いの荒い主を持って大変だよねえお互い！」

レイヴンはへらへらっと笑いながら、懐から取り出した一枚の紙をルーファスに手渡す。

それに目をやって、ルーファスはひっそりと眉を寄せた。

また面倒な仕事を持ってきてくれたものだ。ユーリに気付かれず依頼された品を全て揃えるのは骨が折れる。しばらくは彼女と睦み合う暇もないかもしれない。

「しっかしお前が結婚するとはねー。しかも、あーんな可愛い子」

レイヴンの視線が、窓の外、中庭にいるユーリに向けられる。

せっせと草をむしっている、黒髪の少女。

陽の光の下で笑っているのが似合う、可愛い女の子。

「……お前には勿体ないよ。どうやって捕まえたの？」

「べつに……」

金で買ったのだとは言わず、ルーファスはレイヴンの視線からユーリを隠すように勢いよくカーテンを閉めた。

ユーリを他の男の目に触れさせるのが不快でしょうがなかった。

「……品物の件は了解しました。それで？　しばらくはあなたがこの町に？」

「そうなるね。できた物から持って来いって言われてるし、俺が運ぶよ」

面倒だけど仕方ないよねーと、レイヴンは肩を竦める。

「そうですか」

ルーファスは眉根を寄せたまま、渡された紙を蝋燭《ろうそく》の火にかけ、燃やしてしまう。

内容は全て覚えたし、これは人目に触れてはならないものだった。これに限らず、レイヴンの持ってくるものはほとんど燃やしてしまうのだ。

「そういえばさー、あの子はお前の『仕事』のこと、知ってんの？」

「知りません。いずれは話しますよ。いずれは……ね」

「へえー、話すつもりはあるんだ。でも、もしそれであの子がお前のこと嫌いになったらどうすんの？」

「そんなの関係ありませんよ」

にやにやと笑みを浮かべてそう話すレイヴンの顔には、「そうなったら面白いのに」という感情がありありと浮かんでいた。それを否定するように、ルーファスアは言葉を続ける。

「彼女が私の『仕事』をどう思おうが、彼女が私のものであることに変わりはない。今更過去は変えられないし、嘘をつくつもりも無い。それに、『妻が嫌がるので』と言って今後一切『仕事』を断ったとして、それを許してくれるような方ではないでしょう」

「言い切るねー。まあ確かに、簡単に無かったことにできるような『仕事』じゃないわな。これからもよろしく頼むよ、やぶ医者」

「人聞きの悪いこと言わないでくれませんか。私はやぶじゃありません」

「くっく。わかってるよー、名医殿」

気安く自分の肩を叩いてくるレイヴンに、ルーファスは絶対零度の眼差しを向ける。だがレイヴンはそんな視線も慣れたものと言わんばかりに、余裕の笑みを浮かべていた。

＊　＊　＊

「あれ……？」

医院から出ていく黒い人影に、ユーリは土をいじっていた手を止め、じっと視線を送る。

「また……だ」

このところよく見かける人物である。

いつも黒いローブを深く被っていて、前々から怪しいと思っていた。

ひょいひょいと大股で歩く姿は健康そうに見えるのに、頻繁に医院を訪れている。

そして彼が通うようになってから、ユーリは医院への立ち入りを禁じられてしまった。

それまでは、ユーリがウィリーに代わって受付をしたり、観葉植物に水をやったり、ルーファスにお茶を届けたりしていたのに、近寄ってはいけないと言われてしまったのだ。

あの黒衣の人物が通って来るようになったことと、何か関係があるのだろうか。

ユーリは一度、そのことについて聞いてみたことがあった。けれどルーファスには不機嫌そうな顔で、「あなたには関係の無いことです」と素っ気なく返されただけだった。

さらにこれ以上の問答は無用とばかりに追い出され、以後、医院に近寄ることは許さないとまで言われてしまった。

たしかに、患者さんのことを聞くなんて立ち入りすぎたのかもしれない。それがルーファスの機嫌を損ねてしまったのだろうかと、項垂《うなだ》れる。

(……また『余計なお節介』って、嫌われちゃったかなぁ……)

どうにも自分は、調子に乗ってあれもこれもと世話を焼きたがるところがあるらしい。

幼い頃はそれでルーファスに嫌われていたのに、また同じことを繰り返してしまったのだろうか。

「っ、だめだめ！」

ユーリは不安を払うように首を振って、再び目の前の土いじりを再開した。

こういうときは、悩みすぎてもいけない。考えるだけ想像は嫌な方に広がって、どんどん気持ちが落ち込んでしまうから。それよりも、目の前にある作業に集中しようと、ユーリは気を取り直す。

おねだりの甲斐あって——思い出すのも恥ずかしいことを強要されたが——ルーファスは庭で花やハーブを育てることを許可してくれた。

直接買い付けに行くことは許されなかったけれど、ウィリーを通して、ユーリの望む花の苗や種をたくさん買ってくれた。

医院の手伝いをすることは禁じられてしまったけれど、庭に綺麗な花を咲かせて少しでも明るくすれば、幽霊屋敷のような外観を恐れてブラックフォード医院を敬遠している人達も、利用してくれるようになるかもしれない。

ルーファスの役に、立てるかもしれない。

「…………」

今の自分にできることをしようと、ユーリは雑草をぎゅっと握り、抜き取る。雑草をむしった後は土を起こし、腐葉土と混ぜて耕すのだ。

さらにユーリは、庭に放置されていた古い煉瓦を集めて花壇を作り、そこに花の苗や種を植えていった。

「よいしょ……っと」

手で掘った穴に苗を入れて、ぽんぽんと土を被せる。

今はまだ小さな蕾だけれどやがて綺麗な花を咲かせてくれるだろう。

こうして土に触れていると、それだけで沈みかけていた心がほっと癒される気がした。

ふと、花の苗を入れていた木箱に、小さな麻の布袋が入っているのに気がついた。紙のタグがついた紐で口が縛られている。

「あれ……？」

他の苗や種にまぎれて気付かなかったが、これもウィリーが買ってきてくれた花の種だろう。

タグには、『シルヴァティィカ』と走り書きがされていた。シルヴァティィカは夏に小さな青い花を咲かせるこの地方特有の花だ。種を蒔いてから二か月ほどで開花する多年生の植物だったはず。

（そういえば……）

かつて、ブラックフォード邸の庭にもシルヴァティィカが咲き誇っていた。この花を植えたのは花好きな母ではなく父なのだと、ルーファスがどこか嬉しそうに語っていたことをユーリは思い出した。

シルヴァティィカは呼吸器の疾患に効果があるとされ、よくシロップ薬に煎じられていた。

当時喘息を患っていた息子ルーファスのために、ブラックフォード医師が手ずから花を植えたらしい。

『花なんかには興味ないけど、この花だけは……まあ、好きだよ』

『ふうん』

『でも、シルヴァティカの根には毒があるんだって。この花を活けた水を飲んだら、頭痛や吐き気に見舞われて、ひどいときは死んじゃうんだって』

『怖い……』

毒と聞いて怯えるユーリに、ルーファスは得意気に笑ってみせた。

『ふふん。でも毒のある植物は、薬になることが多いんだよ。使い方しだいなんだ。このシルヴァティカと同じようにね』

花には興味が無いと言っていた彼が、唯一好んだ花。

(……これを育てたら、ルーファス……喜んでくれるかな……?)

かつての少年の笑顔を思い、ユーリはそっと布袋を握り締める。

シルヴァティカは日当たりの良い、水はけのいい場所を好む。そしてたしか、暑さにも弱かったはずだ。ユーリはこの屋敷の庭の様子をあれこれと思い浮かべながら、この種を撒く場所を思案する。

「あっ……！」

ある事を思い出し、布袋をポケットに入れると、ユーリはジョウロを手に敷地の西側にある庭に向かった。

ブラックフォード邸は、丘の上の林を切り開いて建てられている。

その名残で、敷地を囲う黒い鉄柵の周囲は今もブナやクヌギの木で覆われていて、幼い頃は秋になると、ここでドングリを集めて遊んだものだ。

またも懐かしい思い出が胸に甦り、足を止める。本を読むからとつれないルーファスの手を引いて、ドングリを探した。あのときルーファスは、どんな顔をしていたろうか。

ユーリは遠い昔を思い返しながら、目的の場所へ向かった。

敷地を囲う鉄柵の傍、西側の荒れ地に、ユーリはハーブ畑を作っていた。

その向かい側に、煉瓦で円《まる》く囲まれた花壇の跡がある。あとで何か花を植えようと、草をむしって土を耕すだけにしておいた場所だ。そして、かつてルーファスの父がシルヴァティカを植えていた場所でもある。

ここにまた、シルヴァティカの種を撒《ま》こう。

ユーリは花壇の前にしゃがみこむと、指先で土に小さな穴を掘り、そこに種を二、三粒落としていった。そっと土の布団をかけ、また次の穴を掘る。そうして種を撒き終えると、ジョウロに水を汲んできて、さっとかけた。

「よし」

満足気に微笑み、再びジョウロに水を汲んでくる。今度はその水を、向かい側のハーブ畑に撒いた。

「元気に育ってね」

ユーリはハーブ達にそう語りかける。花屋をやっていた頃も、こうして植物に語りかけていた。彼らが言葉で返してくれることはなかったけれど、綺麗に咲くことで、ユーリの想いに応えてくれていた気がする。

このハーブ達も今はまだ葉も小さいが、もう少し大きくなれば少しずつ摘みとって料理やハーブティーに使えるだろう。

ハーブは薬にもなる。ルーファスは時折、薬の材料の一つとして町でハーブを仕入れて使っていた。それを自宅で栽培できるようになれば、彼の役に立てるに違いない。

(……あ)

また、だ。

この頃、ユーリの思考の行きつく先は、いつも『ルーファスに喜んでもらえるか』『ルーファスの役に立てるか』になっていた。

そして、思う。

彼の欲情を満たす以外の存在理由を、自分は求めているのだと。

「……はぁ」

そんなことを、ルーファスは望んでいないかもしれない。幼い頃のように、「余計なことをするな」と怒られてしまうかもしれない。それでも——。

ユーリがため息を吐きながらハーブ畑の雑草をとり除いていたとき、

「ユーリ？」

名を呼ぶ声が、林に響いた。

「……？」

突然吹き込んだ風が、ざわざわと林の木々を揺らし、土に汚れたユーリのエプロンをはためかせる。

「ユーリ！」

「シーザー？」

現れた人影に、ユーリは驚きの声を上げた。

風に揺れる、少しだけ癖のある金髪。晴天を映したような碧い瞳に、右目の下の泣き黒子が特徴的な甘い顔立ち。だが身体はがしっとして体格の良い長身の男。

彼は、『エインズワース花店』のかつての常連客だった。

「良かった。また君に会えた……」

シーザーはユーリの傍の鉄柵に駆け寄り、がっしりと格子を摑むと、ほっとしたように微笑みかけてくる。

「この町に帰ってきたら、君の店が無くなっていたから……。心配したんだよ」

「ご、ごめんなさいシーザー」

シーザーは、この町の領主カルヴァート伯爵家に仕える騎士だそうで、数年前から『エインズワース花店』によく顔を出し、妹や母親にプレゼントするのだと、いつも花束を買ってくれていた。

約三か月前、王宮に伺候する主《あるじ》のお供で王都へ向かうから、しばらく顔を出せないと言われ、それっきりになっていた。というのも、あれから父が亡くなり、借金が発覚して身辺があわただしすぎて、別れも言えず店を手放したからだ。それなのに、彼はずっと心配してくれていたのだろうか。

「……親父さんのこと、聞いた。俺が傍にいたら力になれたのに」

「……ありがとう……」

「当然だよ。ね、少し話せないかな？　そうだ、町のカフェで新作のケーキが食べられるんだよ。好きだったよね、ユーリ」

「え？　でも……」

「俺がご馳走するよ。苺をたっぷり使ったケーキなんだって。ね？　行こう」

それまでの痛ましげな表情から一変、シーザーは笑顔でユーリを誘ってくる。

（……シーザー……。気遣ってくれてるんだ……）

昔から、シーザーはなにくれとなくユーリに贈り物をしてくれたり、お茶に誘ってくれたりした。だがユーリは、贈り物は受け取らず、誘いも断っていた。社交辞令だと思っていたし、受け取るにはシーザーの贈り物は高価すぎる。自分には過ぎた物だと、申し訳なく謝るユーリを、シーザーは笑って許してくれた。

今も、自分を気遣ってくれるシーザーの優しさをありがたいとは思う。けれど、差し出された手をとるわけにはいかなかった。

「ごめんなさい。私……」

この館の敷地から出てはいけないと、きつく言いつけられている。

それを破ることはできない。まして、他の男の人にケーキをご馳走になるなんてルーファスが知ったら、どんなおしおきをされるかもわからない。

「ユーリ……」

「それに、話ならここでだってできるわ。教えて、シーザー。王都はどんなところだった？」

「……うん。でも、俺はこんな柵越しじゃ嫌だから……」

シーザーはぎゅっと鉄格子を握り締め、苦々しげに言う。

立ち話をしようなんて、失礼なことを言ってしまっただろうか。

「俺が、そっちに行くね」

「えっ」

一転してにこっと笑ってみせると、彼はその体格に見合わない軽々とした身のこなしで鉄柵を上り、ひょいっとユーリのいる方へ飛び降りた。

「び、びっくりした……」

シーザーの突然の行動に、ユーリは目を見開く。心中では、もしこの現場をルーファスに見られたら……という不安もあった。

「うん。やっぱり柵越しより、こうして直接君の顔が見れる方がいい」

屈託なく彼は笑う。

それは、町の女達を、そしてきっと王都の女達をも魅了したであろう爽やかな笑顔だった。

それからユーリとシーザーは、久しぶりにたくさんの話をした。話上手なシーザーが、面白おかしく王都でのできごとを話してくれるたび、不安に翳っていたユーリの顔はだんだんと綻んでいった。そんな彼女の表情に気を良くして、シーザーはさらに饒舌になる。

彼の口から語られる王都は、ユーリには夢の世界のように思えた。贅をこらしたきらびやかな王宮、そこに集う美しい令嬢達や凛々しい紳士達。夜ごと開かれるパーティの華やかな様を思い描き、ユーリはほうっとため息を吐いた。

「……あ！　いけない。もうこんな時間だわ。ごめんなさい、そろそろ夕飯の支度をしなくちゃいけないの」

話に夢中になっているうちに、気付けば日はすっかり傾いていた。

「ユーリ……」

「ありがとう、シーザー。久しぶりにお話できて、すごく楽しかった」

この家に来て、ルーファスやウィリー以外とこんなに話をしたのは初めてだった。他愛も無いお喋りに、沈んでいた気持ちが少し浮上してきていた。

シーザーに感謝をしつつ、見送る気持ちでそれとなく、彼を柵の外へ促そうとする。

しかし彼は立ち去ろうとはせず、ユーリの手をぱしりと掴んだ。突然のシーザーの行動にユーリはびくっと肩を震わせる。初めて触れたシーザーの手は大きく、常日頃剣を握っているせいか皮膚が硬くなっていた。骨ばって皮が薄いルーファスの冷たい手とは何もかも違う気がして、落ちつかなかった。

「ねぇ、ユーリ。君の借金をここの医者が払ったって聞いたけど、本当？」

「……っそ、それは……」

それまで避けていた話題だった。幼馴染みに金で買われて、閉じ込められるようにしてここで暮らしているなんて、シーザーには言えなかった。

「町の人達は、君とここの医者が元々恋仲だったたって噂してる。だから医者が、君の借金を払って、そして結婚したんだって」

ルーファスがユーリの借金を払ったのは本当だ。

そして、その代わりにユーリがルーファスと結婚したのも。

「そんなはずないよね！　だって君は……」

シーザーの言う通りだ。二人は元々恋仲だったわけではない。それに彼がユーリを金で買ったのは、何でも言うことを聞く、自分専属の娼婦が欲しかったからに違いないのだ。

そしてユーリはこれからも、ルーファスの欲を満たすことを第一に考え、この館で生きていく。

家事や花の世話で心を慰めながら、ルーファスに抱かれ続けるのだ。ユーリがどんなに彼の役に立ちたいと願っても、当の本人はきっとそんなことは望んでいない。全てはユーリが勝手に願って、ルーファスの温情でやらせてもらっていることなのだ。

けれど、そうわかっていても願わずにはいられない。そうすることでユーリは、自分が彼の『普通の』妻なのだと、思い込みたかったのだ。金で買われた娼婦ではない、ごく普通に家事をこなし、夫を支える妻になりたいと願っていたのだ。

（……馬鹿だなあ……私……）

金で買われた女には、過ぎたる夢だろうに。

「…………っ」

それまで考えないようにしていた現実が見えてしまい、ユーリは項垂れる。

「ユーリには、俺が……」

「大丈夫！」

シーザーの言葉を遮るように、ユーリは言った。

無理やりに笑顔を作り、「心配しないで！」と、シーザーの手をそっと離す。

「私なら大丈夫。元気にやっているし、それに……」

「ユーリ……」

「だ、旦那様はね、とても、優しいの」

そう、ルーファスは意地悪だけれど、時々ユーリに優しくしてくれる。けれど、最初は素直に嬉しいと感じていた彼の優しさが、この頃は少し辛かった。ルーファスが見せるその優しさは、飼い主がペットに気まぐれに与えるそれと同じだとユーリは思っている。それが、切ないのだ。

「心配してくれてありがとう、シーザー。でも大丈夫なの。私はここで、幸せに暮らしているから」

幸せ……？　それはいったい、どんなものだろうか。自分で口にしておきながら考えてしまう。

ユーリは、自分が恵まれているという自覚はあった。娼婦になるはずだったことを思えば、食べる物にも困らず、綺麗な服を与えられ、そして好きな家事と花の世話とを自由にさせてもらえるこの身は随分と幸せだろう。けれど、消えることのない胸の痛みがユーリを苛む。いったい自分が何を不満に思い、そして何を求めているのかわからなかった。ただこの胸の痛みをシーザーに話すわけにはいかないと、彼女は努めて自分が幸せであるかのような笑みを見せる。

「幸せ……？　そんなはず、ない……」

「え？　今なんて……」

小さく呟かれた彼の言葉は風の音に遮られ、ユーリの耳には届かなかった。

「とにかく、君が無事でよかった。でも、あの医者のことは、あまり信用しない方がいい」

シーザーは真剣な顔でユーリの耳に囁いた。

「彼には悪い噂がある。気をつけた方がいいよ、ユーリ」

ぎり……と、ユーリの手を摑むシーザーの手に力が入る。

彼の瞳は、今まで見たこともないくらい暗く燃えているように見えて、ユーリは初めて、少しだけシーザーを恐ろしいと思った。

＊＊＊

あれからシーザーは、人目を忍び何度もユーリに会いに来た。

そしてそのたびに、ルーファスの悪評や、彼に付き纏う不穏な噂を囁いていった。

たしかにルーファスは、医者としてあまり褒められた態度ではない。

開院時間もまちまちで、やる気はないし、患者への態度も素っ気なく、不親切なところがある。お世辞にも良い医者とは言えないだろう。

それに……

シーザーの言葉をきっかけに、ユーリの胸に、それまで目を逸らしてきた様々な疑惑が広がっていく。

ブラックフォード医院は、多少の患者は来るようになったとはいえ、相変わらず閑古鳥が鳴いている。それにもかかわらず、ルーファスの金回りは異様に良かった。

ユーリの借金を即金で完済したことといい、たくさんのドレスや装飾品を惜し気もなく買い与えることといい、一介の町医者がこんなに裕福なものだろうか。

まさかルーファスも借金をしているのだろうか、と考えてそれとなくウィリーに家の内情を聞いても、借金の影はまるで無かった。ではどうやってこれほどの収入を得ているのだろうか。

加えて、ルーファスのもとにこのところ頻繁に訪れる怪しい男の存在も気にかかる。

彼が来てから、ルーファスはよく地下室に籠るようになった。ユーリが立ち入ることを禁じられた例の地下室だ。

彼はそこでいったい何をやっているのだろうか。

シーザーの言う、ルーファスの悪い噂をふと思い出す。

『彼は、館で違法な植物を育てているそうだよ。その植物の効能を調べるために人体実験も行っているらしい』

まさか、と思う。そんないい加減な噂を信じているわけではない。

けれど……

『……暗殺……？』

今日もまた、ユーリに会いに来ていたシーザーは不穏な話を彼女に告げた。

『……うん。今日、患者のフリをして初めて医者に会いに行ったよ。そうして、驚いた。

俺は彼を見たことがあるんだ。王宮で……ね』

この町に越してくるまで、ルーファスはロダンにいたはずだ。王宮のある王都から遠く離れた外国の学術都市にいたはずの、まして一介の医者に過ぎない彼が、王宮にいるはずがない。

見間違いだろうと否定するユーリに、しかしシーザーは真剣な顔で言う。

『フードで隠していたけれど、あの白い髪と赤い瞳をそう見間違えるはずがない。そして彼を見かけたその日、王宮ではある貴族が不審な死を遂げたんだ。……毒殺、だそうだよ』

『……まさか』

シーザーは、その貴族を毒殺した暗殺者こそがルーファスだと言いたいのだ。

『だけど、ユーリも言っていたよね。流行っていない医院なのに金回りが良い。その金をどこから得ているんだろうって。貴族に飼われて暗殺に手を貸していると考えれば、それも得心がいく』

ルーファスは人を殺す代償として大金を得ているのだろうと、シーザーは言った。

シーザーの言葉に、ユーリは必死に首を横に振る。

『俺ももっと調べてみる。けれど、気をつけてユーリ』

そう忠告してくるシーザーに何も言えず、ユーリは俯いて唇を噛んだ。

(……ルーファスは、お医者様だもの……)

ウィリーを助けたように、人の命を救う人だ。そんな彼が、金のために人の命を奪うなど信じられなかった。

けれど、彼がユーリに何かを隠しているのは間違いない。

「…………」

昼間シーザーに聞かされた話が頭から離れず眠れなくなったユーリは、のそりと寝台を起き上がった。

日はとうに落ち、寝室は真っ暗な闇に沈んでいる。彼女の身体を抱いて眠る夫は今はいない。今日も彼は、地下室に籠っていた。

「ルーファス……」

ずき……と。痛む胸を押さえる。彼の名を呼ぶユーリの心には、不安があった。じわじわと深い闇が広がっていくような、そんな感覚に彼女はぶるりと震える。

このままでは、この部屋のように自分の心も真っ暗な闇に沈んでしまうような気がして、ユーリは不安を振り払うようにふるふると首を横に振ると、寝台を降りて扉に向かった。

このままここで不安に頭を悩ませていても仕方が無い。

知らないから不安になるのだ。彼が今地下室で何をしているのか、それがわかるだけでも不安が晴れるに違いない。そう思い、勢いよくドアノブを回す。しかし、

「え……？」

がちゃ……と回したドアノブは、しかしそれきり動かなかった。

ユーリは焦ったように、ドアノブを押したり引いたりがちゃがちゃと扉を揺らす。

けれど何度動かしても、扉は開かなかった。

扉の外から鍵がかけられているのだろう。この部屋にユーリを閉じ込めているのだ。内側から開くのには鍵が必要なようだったが、その鍵の所在をユーリは知らない。

「ルーファス……？」

こんな夜中に寝室から出たことがなかったのでわからなかったが、これまでも鍵をかけ

く。

閉じ込められているという現実に打ちのめされて、ユーリの背に冷たいものが伝ってい

「どうして、ここまでするの……？」

られていたのだろうか。

ルーファスは、こうでもしないとユーリが逃げ出すと思っているのだろうか。肩代わりしてもらった借金も、結婚誓約書も何もかもを捨ててルーファスの目を盗んで逃げ出すのだと。そんなふうに思われているのだろうか。信頼されていなかったのだという事実に、ユーリは泣きたくなった。

それとも、ユーリを閉じ込めてまで隠したい何かを、彼は秘めているのだろうか。

無言のまま唇を噛み締め、ユーリは項垂れる。けれどすぐに視線を上げた。

ルーファスがここまでしてユーリを閉じ込めるということは、今まさに彼はユーリに見られたくないことをしているということではないか。それがシーザーの言うように、毒薬を作っているのか、違法な植物を育てているのかはわからない。けれど、わからないから確かめようと先程決めたのではなかったか。

（……何も知らないでいるのは……嫌……）

知らないから不安なのだ。わからないから、怖いのだ。だから知りたいと思う、その心

のままにユーリは行動した。踵を返して窓辺へ向かい、ガタガタと風に揺れる窓ガラスを開ける。窓の鍵は内側に付いているので、開けるのは容易い。ルーファスもまさか窓から逃げるとは思っていなかったのだろう。特に何も細工はされていなかった。

外は風雨が吹き荒れている。

ふと、最近ようやく芽を出したばかりのシルヴァティカのことが気にかかった。せっかくの芽が、この嵐でぐちゃぐちゃになっていなければいいが。少しでも様子が見られるようなら見ておきたい。

それほどに酷い嵐だったが、ユーリは躊躇わなかった。

彼女はおもむろに寝台のシーツを剝ぎ取ると、それを裂いて結び、長い一本のロープに変えた。そして寝台の柱に結び付けて窓の外に垂らす。

我ながら、危険な真似をしていると思った。一歩間違えば、地面に叩きつけられて死んでしまうだろう。

「…………」

ごくり、と。風が荒れ狂う夜の闇を見つめる。

でも、ユーリはもう嫌だったのだ。こんなふうに不安な夜を一人で過ごすのは、もう耐えられない。ルーファスがいったい何を隠しているのか、彼のことをもっと知りたいと、知らなければいけないとユーリは思った。

「……よし」

ぎゅっぎゅっと、柱に結び付けたシーツのロープを引っ張る。これならなんとか下まで降りられそうだと、そう、彼女が窓枠に足をかけたとき。

ギイ、と不穏な音を立て、ゆっくりと寝室の扉が開く。

「……なにを、しているんです……」

そこには、今まで見たことも無いくらいに表情を凍らせたルーファスが立っていた。

「ユーリ……」

ぞっとするほど甘い声が、彼女の名を呼ぶ。だがその甘さとは真逆の、隠しきれない怒りを感じ、ユーリは恐怖に震えた。

「あ……あの……」

ルーファスが今まで見たこともないほどに怒っている。

「逃げるつもりなんですか？　私のもとから」

「ちがう！」

ユーリはぶんぶんと首を横に振って否定する。だが、ルーファスはまるで彼女の声など届いていないかのように、暗い声でなおも問うた。

「どこへ逃げようというんです？」

「ち、ちがう！　私はルーファスのことが気になって！　それに花が……」

「私のこと？　私はここにいるじゃないですか。それに花ですって？　いけない子ですね、ユーリ。私の言い付けよりも、そんなものを優先するなんて」

「そんなもの……？」

大切に育てた花を、そしてそれに込めたルーファスへの想いまでも否定されたようで、ユーリの瞳が悲しみに揺れる。

「お願い。聞いて、ルーファス……」

しかしそれ以上の問答を、ルーファスは許さなかった。

ゆっくりとユーリに近付いた彼の手が彼女の首をぐっと摑んだのだ。

「っ……く……」

ユーリの瞳から、涙が溢れていく。苦悶に歪める顔を見つめるルーファスがうっすらと笑っているのが見えて、ユーリはさらに恐怖を覚えた。

首を絞める手に、だんだんと力が込められていく。小さな口から苦しげな吐息が漏れた。抵抗するようにルーファスの手を摑むが、彼はびくともしない。

耳鳴りがして息が苦しくて、視界がだんだんと白んでいく気がした。このまま自分は彼に縊《くび》り殺されるのだと、ユーリが半ば諦めかけたそのとき、ふっとルーファスの力が弱まる。

「ごほっ……！」

解放された喉は急くように空気を求め、ユーリは荒く息を吸った。

「ユーリ……」

彼女の細い首を摑んだまま、ルーファスは優しく語りかけた。

「ユーリ。言ったでしょう？　言いつけを破る悪い子には……」

ぐっと、ユーリの身体が引き寄せられる。そしてルーファスは、ユーリの小さな耳朶に

ぎりっと、歯を立てるよう嚙みついた。

「ひっ……」

じわ……と、傷付けられた皮膚から血が滲む。

それを舌で舐め、ちゅ……と口付けて彼は囁いた。

「『おしおき』ですよ」

「あ……っ、ああっ……」

これは『おしおき』なのだと、ルーファスは言って、ユーリの両手をシーツでつくったロープで縛り、柱に括りつけた。

両足もそれぞれ開かせた体勢で、同じくロープで拘束する。

それだけでは飽き足らず、彼はユーリの両目もシーツを切り裂いた布で覆ってしまった。

四肢の自由を奪われ、視界を奪われ、ユーリはただ恐怖に震える。

ユーリの身を縛った後、ルーファスは一度、寝室を出たようだった。

しばらくして戻ってくると、傍で何かの蓋をきゅっと開ける音がして、さらに、ぴたり、と冷たくて固いものがユーリの内腿に触れる。

それが鋏だと気付いて、彼女は身を竦ませた。

「っ……」

じょき……じょき……。冷たい刃がユーリの下着を切り裂いていく。

「ひっ」

露わになったユーリの秘所に、何か冷たい、どろっとした物が垂らされた。

「あぁ……やぁ……」

くちゅ……くちゅり……

蜜壷の内壁にまで擦り込ませるように、クリームのような冷たい何かを塗り込まれて、ユーリの身体がびくんっと震えた。

塗りつけられた場所が、じりじりと火が付いたように熱い。

じょきっ……

「っ!?」

お腹のあたりで再び、鋏で布を切る音がして、自分の夜着が切られているのだと知る。

露わにされた胸元に、冷たい夜気とルーファスの熱い吐息が触れた。

彼の指は、ユーリの胸の頂にも同様にそのクリームを塗りつける。

「ふあ……!」

冷たい感触に、ユーリの身体が弓なりに反る。じんじんと痺れるような快感が込み上げてきて、桃色の頂がぷくりと勃ち上がった。

「な……なに……?」

視界を奪われているせいで、何をされているのか、何をされようとしているのかわからない。その恐怖に、ユーリは戦慄した。

「あ……ああ……」

「本当に淫乱な身体ですねえ、ユーリ。あなたのここはこんなにぱくぱくと動いて、私を誘っていますよ?」

冷たい声が投げつけられる。

たしかに、己の秘所がひくひくと動いているのをユーリは感じていた。まるで男を誘うかのようなその動きに、ユーリは羞恥でかっと頬を染めた。

「ちが……」

これは、ルーファスに塗られたクリームのせいだ。

おそらく、初めてルーファスと交わった日に使われた香と同じ、媚薬の類なのだろう。しかし、あのとき使われたものよりずっと強力だ。身体が火照り、わずかに身じろぐだけでも快感が走る。まだろくに触られてもいない身体の中心から、とろとろと蜜が零れ出すのを止められなかった。

心まで溶けてしまいそうだ。

「ふふ……」

「ひゃあんっ」

愉快気に笑うルーファスの声が耳元に響いたかと思うと、じゅぼっと、指が遠慮なく挿し入れられる。

それだけで果ててしまいそうな快感がユーリを襲った。

「あ……ああ……」

こんな性急に与えられる快楽は初めてだった。

みっともなく口が開いているのがわかる。ぱくぱくと魚のように開閉し、鼻にかかったような嬌声が漏れ出した。

「い……ぃ……あぁ……」

理性も何もかもが、情欲に溶けてしまいそうだった。それが酷く恐ろしい。恐ろしいと思うのに、ユーリの身体はさらなる熱を求めている。もう、頭がおかしくなってしまいそうだった。

「ルーファス……っ、ルーファス……ぅ」

ユーリは無意識のうちに、腰を動かしていた。そうして甘えるように、ルーファスの名を呼ぶ。そうすれば、彼が与えてくれるのを、彼女は知っていた。

だがルーファスは、彼女の蜜壷をそれ以上刺激することなく、指を引き抜いた。

（どうして何もしないの……？）

熱に浮かされたユーリが、恐る恐る顔を上げた瞬間、

「……？　んぐっ」

突然、ユーリの口に熱い塊が押し付けられた。

「舐めなさい」

「んんー」

ぐいっと髪を掴まれ、ユーリの鼻先にかたい茂みが触れる。ルーファスの股間に顔を押し付けられ彼の肉棒を咥えさせられているのだとわかった。

苦しい。息が、できない。

「ぷあ……っ」

思わず顔を逸らして肉棒から口を離したユーリに、頭上からくつくつと冷笑が響いた。

「上手に舐められたら、挿れてあげますよ」

「……ぁ……」

さあ、と冷たい声に促され、ユーリは懸命に、舌を這わせた。

けれど、そんなユーリの努力を嘲笑うかのように、ルーファスは激しく腰を揺らす。

「んっ、んんっ、んんー！」

「はぁ……っ。ユーリ……ユーリ……」

ぐっぽぐっぽと、容赦なく口に挿し入れられるそれを舐める余裕も無く、ユーリはただただ歯を立てないよう、できるだけ口を大きく開き、その苦しみに耐えた。

「んあっ……んんー」

温かなユーリの口内の肉壁を、ルーファスの雄《おす》が容赦なく突き、擦り上げていく。

そして……

「くっ……」

苦しげな声とともにユーリの口からルーファスの性器が抜けたかと思うと、次の瞬間にはぽたぽたっと頬にどろっとした精液を吐き出された。たら……と頬を伝う白濁が、ユーリの口元を濡らす。

「あ……」

ぴと、とユーリの頬に温かいものが触れた。それが、果てたばかりのルーファスだと気付いて、ユーリはどうしたらいいのかもわからず、ただ硬直する。

「……ユーリ……?」

促すような、ルーファスの声。その声は相変わらず冷え切っているように感じられた。

いつもとは違う。いつものルーファスなら、もっと熱の籠った声でユーリを求めてくれる。今の彼は、自分の欲のためにユーリを抱こうとしているというより、怒りのままにユーリを責め苛もうとしているように思えた。

彼女はルーファスに許しを乞うように、恐る恐る肉棒に舌を這わせる。

「あっ……ん……」

ユーリは今まで教え込まれた通りに、その肉棒にちゅ、ちゅと口付けた。

「ん……んんっ……」

果てた後のそれを綺麗に舐めとる。そうすれば彼の怒りも鎮まると信じて、舌を這わせ優しく舐め上げた。

「……っ。本当に、良い子ですねえ、ユーリ」

従順に、そして懸命に自分の肉棒を愛撫するユーリの頭を、ルーファスは優しく撫でる。

もう怒っていないのかと、ユーリが安堵の息を零したそのとき――

「でも、これだけで許してなんて、あげませんよ？」

「アアッ！」

冷たく硬い何かが、突然ユーリの秘所を貫いた。

「あ……やあ……」

これは、ルーファスではない。ルーファスの勃ち上がりかけたそれは今もユーリの唇の傍にあるのだ。

「ふふっ。良いザマですね、ユーリ」

「アッアアッ……」

視界を奪われたユーリには知る由もなかったが、彼女の秘所を容赦なく責めるそれは、彼が初夜の床でユーリに見せた張形だった。ルーファスはそれを手に、嬲るように彼女の秘所を犯している。

「な……っ、なに……？　やぁ……」

じゅぽっ、じゅぽっと、卑猥な音が彼女の耳を犯す。得体の知れないモノに犯される恐怖に彼女は震えた。だというのに、身体は与えられる刺激に悦び悶えている。

心までも快楽に染まっていくのが怖くて、ユーリはいやいやと首を横に振った。

「あっあああっ……」

激しい責めに、腰に力が入らなくなり、果ててしまうその寸前。

じゅぽっと、呆気なく張形を抜かれる。

「ふぁ……？」

もう少しで果てる、その寸前に刺激を止められてしまったユーリは、思わず切なげな声を上げてしまう。

「ああ……」

うずうずと、ユーリの下腹部が切なく疼く。こんな中途半端に放置されるのは辛かった。

ユーリの身体はもっと刺激を求めているのだ。そして心も、ルーファスにもっと犯されたい、そのことしか考えられなくなっている。

「ふふ……。犯して欲しいですか？　ユーリ」

そんなユーリの心を全て見透かしているかのように、ルーファスが甘く囁く。相変わらずその声は冷え、乾いているように聞こえたが、ユーリの心を蕩かすには充分だった。

「……しい……」

もっと、犯して欲しい。

快楽に心が焼き切れて、もう、狂いそうだった。

いや、とうに狂っているのかもしれない。

こんなにもはしたなく、彼を……求めてしまう。

「……私を……犯して……」

自由にならない手を彼に伸ばすようにして、ユーリは身じろいだ。

「……はっ。ははっ！　本当に淫乱な女だな！　望みどおり、抱いてあげますよ！」

「ああっ」

嘲笑と共に、また容赦なく張形を挿し込まれる。

「ち……が……」

息も絶え絶えに、ユーリは首を振った。

「何が違うんです？　道具に犯されて、こんなに喘いで。気持ち良いんでしょう？　言いなさい、ほら！」

「あうっ……」

ぐちゅっ！　奥を突かれ、ユーリはびくびくっと身を揺らした。

身体の力が一気に抜け、そしてたくさんの蜜が吐き出される。

乱暴に道具で犯されて、感じて、果ててしまったのだ。その事実が、ユーリの心を絶望に染めた。

「うう……っ」

「ははっ。たくさん蜜を吐きましたねえ」

ずるっと引き抜いた張形を、ルーファスはぺちゃ……ぴちゃ……と音を立てて舐め上げる。その音と、そして冷たく叩きつけられる声に、ユーリの瞳からはぼろぼろと涙が零れた。

「結局あなたは、誰でもいいんだ。金を貸して助けてくれる男なら私でなくたってよかったんでしょう？　そして気持ち良くさせてくれるなら、道具にだって喘いでみせる」

「んぁ……っ」

じゅちゅ……と、今度は温かい指先がユーリの蜜壷を犯した。

くりくりと、一番感じる場所を弄られる。

またぞわぞわと、快楽の波がユーリを襲った。

「……気持ち良いですか？　ユーリ……」

べろっと、頬を舐められる。

「今度は道具ではなく、私の指ですよ？　どうです？　気持ち良いですか？」

間近に迫る彼の唇が、優しく問うた。

怒りとは裏腹の優しい声が、かえって恐ろしく、しかしそれ以上に悲しく思えた。

「……ひっ……く。うう……気持ち……良い……」

乱暴にされているのに、快楽に流されてしまう自分の身が浅ましくて、ユーリの目から
また涙が零れた。

「あ……っ、気持ち良い……気持ち良いよ……う。ルー……ファス……」

「まったく。これではおしおきになりませんね」

くくっと、喉で笑って、ルーファスの声がユーリを責める。

「淫乱め。あのまま娼館に行っていたら、さぞやたくさんの男に愛されたでしょうねぇ」

「……っ……ちが……ぁ」

「ふん」

ルーファスは不快を露わにし、ユーリの蜜壷を犯す手を止めた。

「あ……」

「ユーリ……。どうして欲しい？　その口で、言って……」

ぴちゃ……と、音を立てて頬をねぶられる。

ひくっと、ユーリの身体が恐怖に竦んだ。

「……も、もっと……」

「……ん？」

ルーファスの声が、ユーリに優しく先を促す。

「もっと……おかして……ルーファス……っ」

羞恥心を振り切り、息も絶え絶えにユーリは乞い願う。

「ルーファスが……いい……。ルーファスに……おかして……ほしい」

得体の知れない道具に犯されるより、ルーファス自身に犯されたいとユーリは願った。

犯されるのも心を狂わされるのも、無機質な道具にではなく、血の通った彼自身にそうされたいと思ったのだ。

「ルーファス……」

ユーリはねだるように、ルーファスの名を呼んだ。

「……可愛いことを……。いいでしょう、存分に……」

犯してあげますと、ユーリの耳元でルーファスが低く囁く。

「二度と私から離れようなどと思わないように、ね」

「ひゃあんっ」

ぎゅちゅっと、肌と肌とが合わさる。

一気に深くまで挿し貫かれて、ユーリの身体がびくびくと震えた。

「はぁー……はぁ……」

さんざんに焦らされた彼女の身体は、それだけで果ててしまったのだ。

「くっ……。ユーリ……ユーリ……」

熱い吐息と共に、ルーファスが熱の籠った声でユーリを呼ぶ。そしてギシッ、ギシッと寝台を揺らすように、激しく腰を振った。

「あっ……ああっ……」

ようやく常の熱を取り戻した彼を感じ、許された気がして、ユーリもまた、彼に合わせるように腰を振った。

「ああ……んっ……ルーファス……、ルーファス……っ」

「ユーリ……可愛い……ユーリ……。私だけのものだ。誰にも……渡さない……。誰かに渡すくらいなら、いっそ……」

「んぐっ！」

ふいに、ユーリを押し倒す彼の両手が、その細い首に伸びる。ゆっくりと力が加えられ、ぎりっと絞めつけられた。

（くる……しい……）

突然の凶行に、ユーリの身体がびくっと委縮する。これまでルーファスは、ユーリを脅したり淫らに責め立てることはあっても、傷付けようとしたことは——まして殺そうとしたことなどはなかった。

目隠しをされているユーリには、ルーファスが今どんな顔で自分の首を絞めているのかわからない。最初にそうしたときのように、うっすらと笑っているのか。

ただ、ユーリの耳には「くくっ」「ははっ」と狂ったようなルーファスの笑い声が聞こえてきて、それが酷く恐ろしかった。

けれど同時に、心が引き裂かれそうなほどの切なさを感じていた。

（ルーファス……）

怖さよりも何よりも、悲しみが勝ってくる。

「あっ……ああっ……ルー……ファス……っ」

こんなふうにしか繋がれない自分達が悲しくて、彼をこうさせてしまったのが自分のせいだと思うと、苦しかった。

「あうっ……」

ひときわ強く突き上げられ、ユーリの目を覆っていた布がはらりとずれ、視界にルーファスの顔が映る。

「ユーリ……ユーリ……！」

ユーリの名を呼びながら、ルーファスは切なげに顔を歪ませていた。いじめられっ子だった頃の彼に戻ったかのように、まるで今にも泣き出しそうな顔で、彼の赤い瞳がただユーリだけを見つめている。

「ルーファス……っ」

ひくんと、ユーリのナカが疼く。

今、いじめられているのはユーリの方なのに、なぜだかユーリの方が彼をいじめているような錯覚すら抱いた。彼の顔を見ていると、ユーリの身も心も切なく締めつけられる気がする。

「いなく……ならないで……」

ユーリの首を絞めながら、そしてその身体を犯しながら、ルーファスは子供のように頼りない声で、彼女に哀願する。

「ルーファ…ンンっ！」

動かない手をそれでもルーファスへ伸ばそうとユーリが力を込めたとき、彼女のナカで温かいものが弾けた。

「はぁ……っ」

ぶるっと身を震わせながら、最後の一滴まで注ぎ込むようにルーファスが腰を打ちつける。そして彼は、ぎゅっとユーリの身体を抱き寄せた。

「……ユーリ……」

幼い子供が母親に甘えるように、ルーファスは彼女の胸に顔を埋める。

無性に、彼の白い髪を撫でてやりたいと思った。ユーリはそう思い、彼に乞うた。

「……ルーファス……、これ……解いて……」

自分の四肢を拘束する布を解いて欲しい。そう懇願するユーリに、しかしルーファスはふっと笑みを浮かべ、「嫌ですよ」と呟いた。

「……絶対に、離さない」

ぎりっと、ユーリの身体を抱く手に力が籠る。この腕の強さが、ルーファスの異様な所有欲を物語っているようだった。

五、

目が覚めると、傍にもうルーファスはいなかった。

鉛のように重い身体をゆっくりと起こし、ユーリは誰もいない寝室を見渡す。窓には厚手のカーテンが引かれ、陽の光を遮っていた。これでは今が朝なのか昼なのか、それとも夜なのかまったくわからないが、今のユーリにわざわざカーテンを開けて陽の光を浴びる気持ちの余裕はなかった。

気を失うまで執拗に責められた身体は、汗と白濁とで無残に汚れている。見れば手首と足首には、縛られていた痕が赤く残っていた。

きしむ身体をなんとか動かしシーツを巻きつけ、ユーリは寝台を降りた。

「……あ……」

寝室の扉には、依然として鍵がかかっていた。

食事の支度も何もかもする必要はない、この部屋から出るな、余計なことはするなとルーファスから言外に責められている気がして、胸が痛んだ。

ユーリは無言のまま、項垂れるように浴室に向かった。まずはこの酷い身体をどうにかしようと、纏っていたシーツを脱ぎ落とす。

鏡の前に立ち、彼女はそっと自分の首に触れた。

鏡には、青白い顔をした自分の顔が映し出されていた。首元には、人の指の形に赤黒く変色した痕が残っている。昨夜、ルーファスに絞められた痕だ。

「…………ふふ」

泣きたいような、笑いたいような気分だった。

そんな自分に、ユーリは首を傾げる。あのとき彼女は殺されそうな目にあった。手酷く抱かれ、身体と心を嬲られた。

けれども不思議と、ユーリはルーファスのことを憎めなかった。

昨夜、泣きそうな顔でユーリの首を絞め、幼い子供のように「傍にいて」と哀願する彼を見て、ユーリの心にある感情が生まれた。

狂ったように自分を求める様を見て、ユーリは彼のことを……

「……ルーファス……」

愛しいと、思ってしまった。

そんなふうに思う自分は、どこかおかしいのかもしれない。

でもきっと、ユーリは昔からルーファスが好きだったのだ。どれだけいじめられてもいじめっ子達を睨み返していたルーファスを放っておけなかった。厭《いと》われているのがわかっているのに助けたいと思ったのは、そうすれば彼との接点ができるからだ。

幼い頃の自分のそんな浅ましさに、ユーリは乾いた笑みを浮かべる。

十年振りに再会した彼に「娼婦になるのか」と言われたとき、その蔑んだような目が怖かった。初恋の相手に、娼婦として見られるのが悲しかったのだ。

「ルーファス……」

ぽろりと零れる涙が、ユーリの頬を伝う。

最初は娼婦でもいいと思った。彼に金で買われたのだからしょうがないと自分に言い聞かせていた。けれど、いつの間にかユーリはもっと多くを求めるようになっていた。

ルーファスのために掃除をし、洗濯をし、そして食事を作る。そんななんてことのない普通の生活が、ユーリにとっては幸せだった。そして、ルーファスは意地悪をしながらも、ユーリの願いを何でも叶えてくれたのに。

何かを隠している彼に不安を覚えて、その不安を解消するためだと大義名分を掲げ、彼の秘密を暴こうとした。彼の意に背こうとした。

「ごめんなさい……ごめんなさい……」

そして怒り狂うルーファスに手酷く抱かれたときに気付いてしまった。自分の本当の気持ちを。彼の泣きそうな顔を見て、自尊心の高い彼のこの顔を知っているのはきっと自分だけだという優越感が湧き上がった。彼を愛しいと思う、欲しいと思う、独占したいと思うこの気持ちを恋だというのなら、それはなんて浅ましくて自分勝手な感情なんだろう。

自分の中に、こんな醜い心があるなんて知らなかった。

ユーリは一人、溢れる涙を拭いもせずに泣き続ける。

ルーファスへの恋心に気付いた今、金で買われた娼婦として彼の傍にいるのが、ユーリには辛く苦しかった。しかしそれでも、ユーリはルーファスの傍にいたいと願う。

涙は次から次へと溢れ、浴室の床に落ちた。こんなに泣いたのは、父を亡くして以来だ。

そうして泣きながらも身を清めた彼女は、身体にタオルを巻いただけの恰好でふらふらと寝室に立ち戻ると、ぽすっとシーツも無い寝台の上に倒れ込んだ。

そのまま起き上がることはできず、深い眠りのうちに落ちていった。

温かい手が、優しく髪を撫でる。

その感触に、ユーリはゆっくりと目を開けた。

(……ルーファス……?)

気付けば、寝台にはいつの間にか新しいシーツが張られ、自分も夜着を纏っていた。

そしてルーファスは、寝台に腰かけユーリの頭を労わるように優しく撫でている。

「……ルー……」

彼の名を呼ぼうとした声が掠れる。

そういえば頭もぼうっとする。身体が熱いのに妙に寒気がした。

「……裸で寝ているからですよ」

呆れたような声で、だから熱を出したのだとルーファスは素っ気なく言った。

彼の赤い瞳は、昨日と同じように冷たく彼女を見据えている。

怒っているのだ。逃げ出そうとした挙句、熱を出して寝込んだ自分に呆れているに違いない。

せめて誤解は解きたかった。自分はけしてルーファスのもとから逃げ出そうとしたのではない。

「……っ、あの……ね。ルーファス……」

掠れる声を振り絞り、なんとか伝えようとするが、彼の大きな手に遮られてそれ以上は言えなかった。

「黙って。これを飲みなさい」

言葉を止められたことに憮然としながらも、差し出された陶器のコップの中を覗く。そこには、まるでどぶ沼の水を掬ってきたような緑色の液体がなみなみと注がれていた。

見るからに苦そうで、不味そうである。

「……こ、これ……」

「薬です。それを飲んで、寝ていなさい」

相変わらず冷淡な口調に、やはり彼はまだ怒っているのだと身を竦ませた。

「うう……」

それでも決心がつかず、躊躇ったユーリはちらとルーファスを見上げた。

彼は視線で、「飲め」と圧力をかけてくる。

「……っ、んく」

ユーリは意を決し、そのどぶ沼色の液体に口をつけた。

すると――

「苦く……ない？」

 それどころか、シロップのように甘かった。しかも、痛めた喉に優しく膜をつくるように、とろっとしている。

「……ちゃんと、全部飲むんですよ」

「う……うんっ」

ユーリはゆっくりと、その甘い薬を飲み干した。

もしかしてルーファスは、苦い薬が苦手な自分のためにこの甘い薬を調合してくれたのだろうか。

(どうして……)

「食事はウィリーが作っています。あなたの教えのおかげで、彼も随分料理が上手くなりました。……できたら持ってきてあげますから、それまで寝ていなさい」

ユーリの手から空のコップを受け取り、ルーファスは寝台から降りる。

去り際、彼は優しくユーリの頭を撫でていった。

どうしてこんなふうに優しくしてくれるのだろうか。

ユーリは去っていくルーファスの後ろ姿に、涙が込み上げてきた。

意地悪なことを言ったり、いやらしいことをしたり、殺そうとしたり。冷たくしたり、

怖がらせたり、酷いことを言ったり。そのくせ、こんなふうに優しくして……

どれが本当のルーファスなのだろうか。

どうして、こんなに自分の心をかき乱すのか。

「ううう……。ルーファスの……馬鹿ぁ……」

酷い。酷い男だ。最低の、男だ。

だというのに、その最低の男にこんなにも心惹かれている自分がいる。

自分はなんて、男を見る目が無いのだろう。

ルーファスの言う通り、酷くされて悦ぶどうしようもない女なのかもしれない。

それでも、彼を想う気持ちは止められなかった。

自分はたしかに、金で買われた女だ。いつか飽きられてしまうかもしれない。

捨てられてしまうかもしれないし、よそに売られてしまうかもしれない。

もしくは、また彼の勘気に触れて、今度こそ殺されてしまうかもしれない。

それでも、ルーファスの傍にいたい。彼の傍にいられるのなら、形だけの『妻』でも、幸せだと思う自分がいた。

「ルーファス……」

ユーリは枕に顔を押し付け、咽《むせ》び泣いた。その涙が、ルーファスに囚われる自分への憐れみか、彼を想っての涙なのかはわからない。ただ彼女は、愛しい男の名を何度も繰り返し呟いた。


それから、ユーリは三日ほど寝台の上で時を過ごした。

それまでの疲れも一気に出たのか、体調がなかなか回復しなかったのだ。

激しい眠気に襲われ、一日の大半を眠って過ごす。

目を覚ましてみると、心配げな顔のウィリーが傍にいてくれて、食事と薬とを用意してくれていた。

「……ありがとう、ウィリー……」

ウィリーの作ってくれたミルク粥《がゆ》はほんのり甘くて、弱った身体に染みわたるようだった。

ルーファスの言っていた通り、彼の料理の腕は随分と成長したらしい。

けれど、ユーリはそれを半分も食べることができなかった。胸につかえて、それ以上口にすることができなかったのだ。

常の彼女からは考えられない食欲不振ぶりに、ウィリーは返された皿をじっと見つめる。

「とっても美味しかったよ。でも、ごめんね……」

自分の料理が不味かったのだろうかと不安げなウィリーに、ユーリは慌てて声をかける。

「いえ！　あの、ゆっくり休んでください」

「ありがとう……」

ミルク粥を食べた後、手渡された薬を飲む。

相変わらずどろっと緑色に濁っている。だがその見た目に反し、甘くて美味しい薬だ。

「……ルーファスは……？」

薬を飲み干したユーリは、ぼんやりとあたりを見回しウィリーに尋ねた。

最初に薬を貰ったときから、彼の顔を見ていない。あれ以来、傍にいてくれるのはウィリーだけだった。それどころか夜にさえ、彼はこの寝室に帰って来ないのだ。

「先生は、研究室にずっと籠っておられます」

何か急ぎの仕事があって、ろくに休まずに薬を作っているのだと、ウィリーは説明してくれた。だが彼がどんな研究をしているのか、そして誰に依頼されているのかは教えてはくれなかった。口外を禁止されているらしい。守秘義務があるのかもしれない。ならば仕方ないと、そう頭ではわかっていても、ユーリの心は沈んでしまう。

（……そっか……。ウィリーは、知っているんだ……）

　ルーファスがユーリに隠しているる秘密をウィリーが知っているのだということに、嫉妬に似た気持ちが込み上げてきた。

「で、でも！　奥様のこと、すごく心配しておられますよ！　僕に、しっかりお世話するようにって言って……。あ……あの……」

　ウィリーは、言いにくそうに言葉を選ぶ。落ち込んでいるユーリを慰めようとしてくれているのだろう。こんな良い子にまで嫉妬してしまうなんて、自分はなんて心が狭いのかとユーリはさらに項垂れる。

「早く、元気になってください。奥様が元気じゃないと、先生……とっても寂しそうです。あ！　僕も！　とっても、寂しいです」

「ウィリー……」

　少年の真っすぐな優しさが眩しい。そう言ってもらえるのが素直に嬉しいと、ユーリは思った。

「へへ……。それじゃあ僕、片付けてきますね。何か、欲しい物はありませんか？」

「ありがとう……」

　ユーリは空になったコップをウィリーに手渡すと、ちら、と傍に置かれた水差しを見やる。優美な曲線を描く水差しには、中の水がもうほとんど残っていない。食欲は湧かないが喉はやたら渇くので、減りが早いのだ。

お水をと思ったところで、ユーリははたと気付く。

「庭の花とハーブ畑に水をやらなくちゃ……！」

三日も臥《ふ》せっているのだ。庭はいまどうなってしまっているだろう。せっかくシルヴァティカが芽を出したところだったのに。無事に育っているだろうか。

「大丈夫ですよ。奥様がお倒れになってからは、僕が代わりにやっています」

にっこりと微笑むウィリーが頼もしい。なんて気が利く少年だろう。

「あ、ありがとう……！」

「いえ！　今日もこれから、水をやってきますね」

「うん。お願いね」

ついでにと水差しの水も頼んだところで、ウィリーはじっとユーリを見つめ、「本当は内緒なんですけど」と人差し指を口に当てて囁いた。

「実は、庭の水やりは先生に頼まれたんですよ」

「え……」

「へへっ。内緒ですよ、奥様」

寝室を後にする少年の後ろ姿を目で追いながら、ユーリはウィリーに言われた言葉を反翳する。

（『そんなもの』って、言ってたのにな……）

彼にそう断じられた夜は、ユーリの全てを否定されたような気がして悲しかった。

けれどもルーファスは、ユーリが育てている庭を気にかけてくれていた。真意はわからないが、その事実が嬉しくて、彼女の口元が自然と笑みの形になる。

（ルーファス……）

意地悪なのか優しいのかわからない彼の名を心の中で呟きながら、ユーリは久しぶりに安らいだ気持ちで眠りについた。


次に目が覚めたとき、傍らに置かれた水差しにはたっぷりと水が入っていた。

ウィリーが持ってきてくれたのだろう。

ゆっくりと身を起こし、グラスに水を注いでこくこくと飲み干す。喉の痛みはだいぶとれていた。ふと視線を落とすと、

「……？」

水差しの隣に何かがある。薬包紙の上に黒い丸薬が転がっていた。

その傍には、『滋養強壮の薬です。飲みなさい』と几帳面な字で書かれた紙の切れ端が無造作に置かれている。

「……ルーファス……？」

彼が、来たのだろうか。この全体的に細くカクカクっとした字は彼の書いたものに違いない。小さい頃から変わっていない彼の癖に、ユーリの心は仄かに温かくなった。

夜もろくに休めないほど忙しいのに、こうして新しい薬を作って置いていってくれたのだ。

ユーリはルーファスの気遣いが嬉しくて、その薬包紙に手を伸ばす。

そのとき、扉の向こうからこちらに近付いてくる足音が聞こえてきた。

「？　ルーファス……？」

問いかけると、きい、と静かに扉が開かれていく。

しかし、そこにいたのはルーファスでも、ウィリーでもなかった。

「!?　シ、シーザー!?」

「ユーリ！」

勢いよく扉を開け放ち、シーザーは一直線に寝台に歩み寄ってくる。

「どうして……」

困惑するユーリに、シーザーはにっと爽やかな笑みを浮かべた。

「ここ数日、君の姿が見えなかったから心配していたんだよ。熱を出したんだって？　使用人の少年に聞いた」

いつものようにユーリに会いに来ていたシーザーは、彼女の代わりにハーブ畑に水をやるウィリーに話を聞いたらしい。

「それでいてもたってもいられなくなって……。こっそり、ね」

「こっそりって……」

外で会うのとはわけが違う。

知り合いとはいえ、女性の寝室に断りなく入るのはさすがに遠慮が無さ過ぎる気がした。

「あんなに健康だった君が、三日も寝付いてしまうなんて。あの医者が君に酷いことをしたんじゃないかって、ずっと心配だった。ねえユーリ。やっぱり君はここにいるべきじゃないよ。俺と一緒に、逃げよう？」

「シーザー……」

心配してくれる気持ちはありがたいし、たしかにユーリが寝付いたのはルーファスにも原因がある。けれど……

「あのね、シーザー。私……」

ユーリはきゅっと、ルーファスが置いていった薬包紙を握り締める。

ユーリにはもう、シーザーと再会したときのような迷いは無かった。

ルーファスが何を隠していても、たとえこれから先どんな仕打ちを受けようとも、ユーリの心は決まっているのだ。

「私、ルーファスの傍にいる。傍に、いたいの」

「ユーリ……」

シーザーは、信じられないものを見たというように、目を見開く。

彼の目には、ユーリがこの館に囚われているように見えるだろう。客観的に見れば、その認識はたしかに正しいのかもしれない。あえてそこに残りたいと言う自分は、おかしく見えるのだろう。それでも、他人にどう思われてもユーリの答えは変わらない。

「私、ルーファスのことが好きなの」

自分は彼に金で買われた。愛されて求められて、ルーファスの妻になったわけではないから、いつか飽きられてしまうかもしれないし、彼に好きな人ができて、捨てられてしまうかもしれない。

それでも、彼が自分を求めてくれている限り、何らかの理由で自分に執着してくれている限り、傍にいたいとユーリは思うのだ。

『……絶対に、離さない』

あの夜、最後にルーファスが呟いた言葉がずっとユーリの心に響いている。あのとき、自分はきっと「離さないで」と彼に伝えたかったのだ。

「ルーファスが何を隠しているのか、わからない。シーザーの言うように、悪いことをしているのかもしれない。でも、それでも……ね。私は彼の傍にいる。ルーファスを、愛しているから」

これは誰に強要されたわけでもない、自分の意志で決めたことだ。

「だから、もう心配しないで。私は大丈夫だから……」

ユーリはそう微笑んだ。もう心配はいらないのだと、身を案じてくれた大切な友人を安心させたかった。

「……そだ……」

「シーザー……？」

シーザーの肩がぶるぶると震えている。

「嘘だ！」

そして彼は大声で叫ぶと、恐ろしい形相でユーリの肩をがっと摑んだ。

「！　い、痛い……」

ぎりぎりと、彼の指が食い込んでいく。しかしその痛みよりも、シーザーの豹変が恐ろしかった。

唇が触れ合うほどに顔を近付け、鬼気迫る瞳でシーザーは言う。

「可哀相に、ユーリ……」

「あの医者に、洗脳されてしまったんだね……？」

「ちが……！」

「そうに決まってる！　だって君は、俺を愛しているんだから！」

「!?　な、何を……」

突然の告白に、二の句が継げなかった。彼は今なんと言ったのだろうか。ユーリはたしかにシーザーを友人としては慕っていた。しかし異性として意識したことは一度もない。

シーザーはそれまでの激昂した様子から一転、普段どおりの優しい声でユーリに囁く。

「可哀相なユーリ。俺が助けてあげるよ」

けれど彼の本心を知ってしまった今、ユーリは逆にその優しさが恐ろしかった。

「やめて、シーザー……っ」

彼の拘束から逃れるようにもがくが、シーザーはものともしない。

「大丈夫。これからは俺が、守ってあげるから」

「シーザー！」

そんなことは望んでいないのにと、ユーリは悲鳴を上げるように彼の名を呼んだ。

だが彼は、ユーリの言葉など無視して一人微笑する。その異様な笑みに、ユーリは戦慄した。

「ああ、そうだ。まだ言っていなかったね。俺の本当の名は、セドリック。セドリック・シーザー・カルヴァート」

「!?」

シーザーはミドルネームだと、彼は言う。

だがそれよりも重要なのは、そのファミリーネームだ。

「そんな……」

ユーリの顔が思わず引き攣る。

「うん。ずっと隠しててごめんね。俺は本当は騎士じゃなくて、この町の領主、カルヴァート伯爵家の長男なんだ」

いずれ父の跡を継ぎ、この町を治める次代の領主。それが彼の正体だった。

「だから借金のことも心配しなくて良いよ。俺が医者に払うから。その後で、彼は投獄《とうごく》してしまおうね」

「やめ……」

「彼には貴族暗殺の疑いがある。なかなか尻尾が掴めないけれど、いざとなったら証拠なんてどうにでもなる。捕らえて……そうだ！　いっそ首を刎《は》ねてしまおうか」

「！　や……やめて……」

「うん、それがいい。だって、俺の可愛いユーリに酷いことをしたんだから」

シーザーの手が、そっとユーリの頬を撫でる。生温かい手に触れられ、彼女の顔は恐怖に引き攣っていた。

「……っ、やめて……シーザー……」

ユーリはシーザーの服を掴み、必死に縋る。

けれども彼の眼には、そんな彼女の姿さえ映っていないようだった。

「それで、ユーリは俺のお嫁さんになるんだ。……でも、ごめん。俺は貴族だから、君を正妻にはしてあげられない。だけど、愛しているのは君だけだよ。別の町に、二人で暮らす家を用意するね」

「シーザー……私は……」

ユーリの声をまったく聞き入れず言葉を紡ぎ続けるシーザーに、ユーリは得体の知れない薄気味悪さを感じた。けれど、黙ってはいられない。恐怖を堪《こら》え、目の前の男を睨みつける。

「やめてシーザー！」

「そうだ。その町でまた花屋を開くのもいいね。それで君は花を売りながら、俺の帰りを待っていてくれるんだ。なんて素晴らしいんだろう」

「シーザー！　私の話を聞いて！　私は……」

「でも、その前に」

ぐっと、シーザーは拳を握り締め、自分の顔の横に持ち上げた。いぶかしげに見つめるユーリに微笑みかけると、それを躊躇なく彼女の腹に沈める。

「っ!?」

くらっと、ユーリの意識が遠のいていく。

「まずは洗脳をとかないとね。大丈夫だよユーリ。俺の愛で、目を覚まさせてあげるから」

うっとりと恍惚に浸るようなその声を、ユーリは薄れゆく意識の中で必死に拒絶した。

＊　＊　＊

手袋を嵌めた手で、試験管の中の液体を小瓶に移す。透明な水にしか見えないそれだが、ルーファスの手は慎重だった。

零さないように丁寧に全てを注ぎきり、きゅっとコルク栓で瓶に蓋をする。そしてそっと木の箱に詰めた。

中には同じ瓶が四つ、柔らかい布に包まれて納まっている。これで五つ目だ。瓶に傷がつかないよう、さらに布を入れて隙間を埋める。そうして蓋をすると、彼はそれを、傍らでじっと作業を見守っていた男に手渡した。

「これで全部です」

「おおー！　やぁっと終わったかー。たしかに受け取ったぜ、やぶ医者」

ルーファスをやぶ医者と呼ぶ黒衣の男、レイヴンだ。

彼はここ数日の間、足しげくルーファスのもとへ通って来ては、彼の作る薬を受け取っていた。それを主《あるじ》に届けるのが、彼の役目なのだ。

「ところでさぁ、お前の嫁さん今寝込んでるんだって？」

木箱を手に、レイヴンはにやりと笑う。

調合の最中は気が散るから、見ているのは構わないが黙っていろとルーファスに言われていた彼は、しかしやたらとニヤニヤ口元をゆるめ、何かを言いたそうにしていた。からかうタイミングを窺っていたのだろうと、ルーファスは眉間に皺を寄せる。

「そわそわしちゃってさー。さっきだって、『休憩です』なーんてしばらく戻って来なかったけど、嫁さんとこ行ってたんだろ、どうせ」

「…………」

にやにやと笑う男に、ルーファスはただ一瞥をくれる。だが何も反論できなかった。

レイヴンの言う通りだったのだ。

彼は休憩と称し、度々ユーリのもとを訪れていた。先ほども、彼女のために調合した丸薬を届けに行ったのだ。だが幸か不幸か、ユーリは眠っていて話をすることはできなかった。

看病を任せているウィリーの報告によれば、ユーリは少しずつ回復しているものの、まだ食欲は戻らないらしい。

自分が彼女を深く傷付け、苛んだ自覚はある。

あのとき、自分は一歩間違えば彼女を殺していただろう。

自分のもとから離れていくくらいなら、この手で殺してしまおうとさえ思った。

元々、自分の感覚が他人とずれていることは自覚していた。そもそも、ルーファスはユーリ以外のことで何かに執着するという感覚がほとんど無い。あったとしても、それは本当に数えるほどのことだった。

たとえばまだこの町で暮らしていた子供の頃、ルーファスは父に懐中時計を貰ったことがある。大人が持つような真鍮《しんちゅう》の懐中時計は、少年のルーファスの目にとても恰好よく映って、ずっと大事にしていた。

けれどある時、その懐中時計をいじめっ子に取り上げられてしまったのだ。それは駆けつけたユーリによって取り返され、すぐにルーファスの手に渡されたのだが、戻ってきた懐中時計は彼にとって、もはや大切な宝物ではなくなっていた。

落書きをされたわけでも、壊されたわけでもない。だが、憎たらしいいじめっ子の小汚い手に触れられた懐中時計は、わずかに汚れていた。拭けば綺麗になるようなそのわずかな汚れが、ルーファスの目にはひどく汚らしい物に見えて、それまでの愛着から全く逆の嫌悪感を抱くようになった。

そしてルーファスは大切にしていた懐中時計に躊躇うことなく石を打ちつけ、ボロボロにしてから川に投げ捨てた。執着していたからこそ、他者に汚されたのが我慢ならなかったのだ。

けれど、ユーリとあの懐中時計は違う。あのとき確かに、ルーファスは激昂していた。大切だった懐中時計に石を打ちつけずにはいられなかった時のように。けれど同じくらい、怯えていたのだ。ユーリが自分のもとから逃げていく、その姿を目にした瞬間、かつての別れとそのときに感じた喪失感が甦った。

ユーリと共に暮らし、彼女の存在に溺れていた分だけ、喪失感と失望はかつてより大きく、耐え難かった。

『いなく……ならないで……』

あのとき吐露した言葉は、ルーファスの本心だ。

どこにもいかないで欲しい、ずっと傍にいて欲しい。

余裕も無くただ欲望をありのまま彼女にぶつけ、幼い子供が駄々をこねるようにねだった、ルーファスの望み。

結果として彼女は体調を崩してしまったけれど、これでしばらくは自分の傍から逃げられないだろうと、安堵する自分がいる。どんな手段を使ってでも、彼女を自分の傍に捕らえておきたかった。

だが……

「…………ちっ」

恐怖に怯え、泣き、悲しむ。そんなユーリの顔を可愛いと、仄暗い感情を抱く一方で、ルーファスの心には正反対の感情も生まれていた。

（……ユーリ……）

彼女の、花のような笑顔が見たい。幼い頃、無邪気な笑顔で自分の傍にいてくれたように、この家で、楽しそうに家事をしていたときのように。

あんなふうに、彼女がいつも笑っていられるようにしてやりたい、幸せにしてやりたいとも思うのだ。

泣かせたい、苛めたい、自分という存在を彼女に思い知らせたい。

その一方で、優しくしてやりたい、甘やかしてやりたい、可愛がってやりたい、大切にしてやりたいと、思うのだ。

（……くそっ……）

相反する感情に心がざわめいて、怒りと罪悪感と、そして愛しさと執着がぐるぐると渦巻いて、ずっと落ち着かない。

どうしたら、彼女は自分のものになってくれるのだろうか。

身体だけではもう満足できない。心から自分だけを愛して欲しいと、ルーファスはユーリの『心』を求めていた。

だが、どうすればユーリの心が手に入るのか、ルーファスにはわからない。どうしたら彼女がずっと傍にいてくれるのか、逃げずに自分を愛してくれるようになるのか、彼にはわからなかった。

「大事にしてやんなよー？　お前みたいな奴の嫁さんになってくれる、貴重な子なんだからさー」

そんなことは自分が一番よくわかっている。ルーファスは苛立ちをぶつけるように、レイヴンを睨んだ。

「レイヴン。もう用は済んだでしょう。早く出ていって……」

「……ところでさ。最近、俺達の周りを嗅ぎまわってる奴がいるんだよねー」

「……？」

それまでにやにやとゆるんでいたレイヴンの口元が引き結ばれ、眼差しに真剣な色が宿る。

「それがどうも……。この町の領主、カルヴァート伯爵家の手の者みたいなんだけど、お前、心当たりある？」

「カルヴァート伯爵家……」

問われても、ルーファスに心当たりはない。

「……なぜカルヴァート伯爵が？」

「さぁねえ。伯爵はどっちかっつーと王宮では中立……いや、日和見派の一人だ。今更、どうして俺達の周囲を探ろうとするのか。もしくは……」

レイヴンの視線が、ぴたっとルーファスを捉える。

「自分の治める町に越してきた、怪しい医者を疑っている、とか？　お前、もうちょっと真面目に医者やっておけよー。隠れ蓑《みの》にならないじゃん。全然」

「……私の本業は医者、ですよ」

そう、あくまで自分は本業として医者をやっているのだ。レイヴンやその主《あるじ》に協力するのは、副業に過ぎない。

「へいへい。本業だっつーなら、尚更ちゃんとやれよって感じだけどねー」

「流行りすぎて忙しくされるのも困る、と言ったのはあなた達でしょう。で、どうするんです？」

「んー。まあ、あんまりしつこいようなら……牽制《けんせい》しなきゃね」

「牽制、ですか」

それで済めばいいですけど、と言うルーファスに、レイヴンはくくっと喉の奥で笑う。

「伯爵家も馬鹿じゃなければ、それ以上はつっこんでこないさ」

物騒な会話をしながら、二人は揃って地下室を出た。

いつもなら、レイヴンとはそこで別れ、彼は館を出るはずなのだが、なぜか二階の寝室に向かうルーファスについてくる。

「……どうしてついてくるんです。とっとと帰りなさい」

「いや。帰る前にお前の嫁さんの顔拝んどこうかなーって」

そう語るレイヴンの顔は、ニヤニヤとしまりがなかった。完全に面白がっている顔だ。

「見せませんよ」

「いいじゃん！　見舞いくらいさせろよー」

「嫌です」

そんなやりとりをしていたルーファスとレイヴンだったが、階段を上り切ったところで、ぎょっと目を見開いた。

寝室の扉の傍で、ルーファスの助手であるウィリーが倒れていたのだ。

「ウィリー!?」

慌てて駆け寄り、その小さな体躯を抱え起こす。

くったりと目を瞑る少年の頬を叩いて、何度も名を呼んだ。

「ウィリー！　どうしました？」

「……う……先……生……？　レ……イヴン……さん……？」

ウィリーはうっすらと目を開けた。

そして霞む視界に、自分を心配そうな顔で見つめる二人の姿を認めてがばっと起き上がった。

「！　た、大変です先生！　奥様が……奥様が……っ」

起き上がった拍子に痛んだのか、ウィリーは「つぅ……」と呻いて腹を押さえる。

しかしその痛みを堪えて、彼は叫んだ。

「奥様が誘拐されてしまいました！　僕、止めようとしたんですけど……」

ウィリーは泣きながら、何度もルーファスに頭を下げる。

「誘拐……？」

「おいおい、マジかよ……」

ウィリーは、しゃくりあげながら事の顛末を二人に話した。

庭の水やりをしていたら、柵の向こうから一人の男に声をかけられた。金髪碧眼の、背の高い男だという。

「とっても優しそうな人で……。奥様のお友達だって言ってました」

いつも水やりをしていたユーリの姿を最近見ないが、体調でも崩しているのだろうか？と尋ねられたという。

ウィリーは、「熱を出していて、しばらく寝込んでおられます」と答え、「奥様に何か御用ですか？」と尋ねた。しかしその男は、「いや、大丈夫だよ」と言ってその場を後にしたらしい。

その後、ウィリーは庭の花に水をやり終えてから、再びユーリの眠る寝室に向かった。

そうしたら……。

「扉の向こうで、何か言い争うような声が聞こえて。最初は、先生と奥様が喧嘩してるのかなって、思ったんです」

中に入って良いものかわからず、少年は二の足を踏んでいたらしい。

だが、扉の中から「シーザー！」と、まるで悲鳴をあげるかのように知らない男の名を呼ぶユーリの声が聞こえてきて、中にいるのはルーファスではないと気付いたウィリーが寝室に踏み込んだとき。

一人の男が、抵抗するユーリの腹に拳を入れて気絶させ、その身を抱え上げたという。

その男は、先ほど庭でウィリーに話しかけてきた金髪の男だった。

『……ああ、君か……』

『奥様に何を……！　放して！　放してください！』

ウィリーは必死に男に摑みかかった。

『放す？　どうして？　あのね、ユーリは本当は、俺のお嫁さんになるはずだったんだよ？』

それを、卑怯な医者が汚い手を使って無理やり妻にしたのだと、男は吐き捨てるように言った。

『そんな……！』

そんなはずはないと、ウィリーは怒りを露わにする。

それに、この男の言うことが本当なら、どうして今ユーリは抵抗したのだ。どうして気絶させられ、無理やり攫われる必要があるのだ。

『嘘だ！』

『ああ、うるさいなあ……』

男は鬱陶しげに呟き、冷たい眼差しをウィリーに向けた。そして、自分の身体にしがみつくウィリーを軽々と振り払う。大人と子供、力の差は歴然だった。

『……つぅ……』

思いきり尻もちをつき、ウィリーは苦悶の表情を浮かべる。

その隙に、男はユーリを抱え寝室を出た。

このままではユーリが攫われてしまうと思ったウィリーは、すぐさま立ち上がると再び男の身体に摑みかかった。

『奥様を放せ！』

だが再び呆気なく振り払われて、今度は腹に容赦なく蹴《け》りを入れられた。

『……ッ』

蹴り飛ばされたウィリーの後頭部は思いきり壁にぶつかって、気付けばルーファスに揺り起こされていた。

「…………………」

「ごめんなさい！　ごめんなさい！　僕、奥様をお守りできなくて……」

ユーリが攫われた？　一瞬、その言葉が信じられなかった。いったい誰が、自分からユーリを奪おうというのだろう。彼女に触れていいのは自分だけだ。他の誰にも、渡すものか。

ぎり、と。ルーファスは歯を噛み締めた。

「……そいつ、『シーザー』って呼ばれてたって？」

レイヴンに問われ、ウィリーはこくこくと頷く。

「……金髪、碧眼。シーザー……。そいつ、もしかして右目の下に黒子なかったか？」

「!?　あ、ありました！」

「レイヴン、知っているんですか……」

「ああ。俺の予想が当たってるなら、そいつはセドリック・シーザー・カルヴァート。さっき話した、カルヴァート伯爵の長男だよ」

セドリック・シーザー・カルヴァート。

貴族の若君であるその男が、どうやってユーリと知り合い、そして彼女を攫うまでに至ったのか、ルーファスは知らない。

けれど、わかっているのは……

（許さない……）

その男が、自分の大切なものを奪おうとしている『敵』だということだけだ。

「……レイヴン……」

背筋の凍るようなその声に、レイヴンはぎくりと肩を震わせ、ルーファスの顔を見る。

ルーファスの口元は笑っていた。が、その目は笑っていない。

凍りつくような声とは裏腹に、その赤い瞳は燃えるような怒りを孕んで、爛々と輝いていた。

「レイヴン、あなた先ほど、伯爵家を『牽制』すると言っていましたね……」

「……ああ、言ったね」

答えるレイヴンは表情も声も硬い。ルーファスが何をしようとしているのか、そしてそれに自分も巻き込まれるのだということを、彼は察しているのだろう。

だがレイヴンも反対はしないはずだとルーファスは笑みを深めた。

「手伝ってさしあげましょう。だから……」

その、拒否をすることを許さない笑みに、レイヴンはますます眉を顰めていく。こんなことならとっとと帰れば良かったとでも思っているのだろう。

「手を貸しなさい」

ルーファスの赤い双眸がレイヴンを射抜く。

ウィリーの話から察するに、ユーリを攫ったシーザーという男は彼女に横恋慕していたのだろう。伯爵家の者が自分達の周囲を探っていたのも、それが原因と考えればつじつまが合う。馬鹿なことをしたものだ、とルーファスは思った。だが、そんな馬鹿でも相手は貴族だ。そして貴族からユーリを取り戻すためには、目の前のこの男の力が必要だった。

「レイヴン」

彼の名を呼びながら、ルーファスは白衣の懐から小さな瓶を取り出す。

それが何であるか察したらしいレイヴンは、「笑顔で脅さないでよ」とため息を吐いた。

「伯爵家の若君もまったく余計なことしてくれるよねー！　怒らせちゃいけない男怒らせちゃったよまったくもー！　はいはい、わかりましたよー。やぶ医者殿の仰せのままにいたしますよー」

半ばやけくそのようにおどけながら、レイヴンは首を縦に振ったのだった。

＊＊＊

「ん……」

ちゅ、と。瞼に温かい何かが触れて、ユーリは身じろぐ。

目覚めを促すような、触れるだけのキスが何度も重ねられる。

（……ルーファス……？）

ユーリはゆっくりと、目を覚ました。

「!?」

そして絶句する。

自分の上に跨って、瞼や額、頬に口付けを落としているのはルーファスではない。金髪の騎士、シーザー。いや、伯爵家のセドリックだ。

「やめ……」

ユーリは慌てて、彼の腕から逃れるように身を起こした。

見覚えの無い、豪奢な寝台の上に彼女はいた。

房飾りに縁取られた赤いベルベッドの帳が、ドレープを描いて寝台の四方を覆っている。それらは同じベルベッドのリボンで結ばれており、その隙間から見えるこの部屋は、金細工が細かに施された白い壁紙と赤い絨毯、そして高級そうな家具が品よく置かれた、いかにも貴族の寝室といった内装だ。

そしてユーリは、自分が元々着ていた夜着ではなく、もっと上等な夜着を着せられていることに気付く。繊細なレースがたっぷり使われた、極上の絹の夜着だ。いったいいつの間に着替えさせられたのだろう。

「目が覚めたんだね、ユーリ……」

「ひっ……」

セドリックの手がユーリの手首を掴み、引き寄せる。身を竦ませる彼女の腹に手を当てて、彼は申し訳なさそうに囁いた。

「乱暴にしてごめん。痛かったろう……?」

すりすりと、セドリックの手が夜着の上からユーリの腹を撫でる。その感触に、彼女の背筋をぞわっと悪寒が走った。

「や、やめて！」

ユーリは彼の手を払いのけると、距離を開けるように後ずさった。

「ここはどこなの？　どうして……」

「ん？　ああ、ここ。ここは俺の部屋だよ」

貴族の館、それも召し使いでさえ用が無ければ立ち入ることが許されない奥まった場所に連れ込まれたのだと言われ、ユーリは絶句する。

「ユーリ……」

熱の籠った声で彼女の名を呼びながら、セドリックがさらに顔を近付けてくる。

唇を奪われると察したユーリは、とっさに顔を背け、抵抗した。ルーファス以外の男に触れられるのは耐えられなかった。

「私に触らないで！　家に帰して！」

「……ユーリ」

「帰して！　ルーファスのところに……」

恐怖を堪え、ユーリは必死になって叫ぶ。

そうやって自分を拒み続けるユーリに、セドリックは悲しげな笑みを浮かべた。そして寝台から降りると、書き物用の机の引き出しから何かを取り出した。

「あっ。や……やめて……！」

彼が手に持っているのは、太い革製のベルトと鎖だった。その意図を察し、恐怖に後ずさるユーリだったが、寝台に戻ったセドリックに容易く捕らえられてしまう。

セドリックはばたばたと手を振って抵抗する彼女の細い両手首をベルトで拘束する。胸の前で手首を合わせる恰好にされたユーリは、さらにシーツの上に押し倒されてしまった。

「いや！　触らないで……！」

身を揺らして抵抗するが、セドリックはものともせずに彼女の手首を頭の上に押し上げ、さらに拘束具と寝台の柱とを鎖で結び付ける。

「やだ……やめて……！」

「あの医者に洗脳されてしまっている君のお願いは、聞いてあげられないよ。ユーリ」

セドリックは、薄ら笑いを浮かべながらユーリの足首をとり、手首と同様に革のベルトと鎖で寝台の柱に結び付けてしまう。

どんなにもがいても逃れられない状況に、ユーリは青ざめた。

「やめて！」

「可哀相なユーリ。俺が目を覚まさせてあげる。たっぷり可愛がってあげるから」

「やっ……」

セドリックの唇が、ユーリの首筋に落ちた。

ぺろぺろと肌を舐められる感触が不快でたまらず、ユーリはぎゅっと目を瞑ってしまう。

「やだぁ……っ」

「ユーリ……ユーリ……」

しかし彼女の言葉や意志を無視して、セドリックの手は性急に彼女の夜着をはだけさせると、その胸元に触れた。

「ひっ」

「……可愛い……」

きゅ、きゅむっ、っと、少し強い力で胸を揉まれる。

「痛い……やめて……やめて……」

嫌悪感しか湧いてこない彼の愛撫に、ユーリは涙ぐむ。

「放して！　触らないで！」

セドリックは彼女の胸を揉みながら、今度はその唇を彼女の腹……そして下腹に這わせていく。

ちり……と、痛いくらいに肌を吸われて、痕を刻まれているのがわかった。

（嫌……っ。嫌ぁ……！）

拘束されながらも身を揺らして抵抗するのだが、それでもセドリックの手の力はゆるむことはなく、彼の唇も止まらなかった。

「やだぁ……」

「ユーリ……。可愛いよ……、ユーリ……」

自分の名を呼ぶ熱が籠ったような声も、肌に触れる硬い手も厚い唇も、何もかもがルーファスとは違う。

「たす……けて……」

ユーリは心の中で何度もルーファスの名を呼んだ。

「ユーリ……」

「ひっ……やだ……やだぁ……」

セドリックの指がユーリの下着をずらし、さわさわと薄い茂みに触れたかと思うと、秘所に触れてきた。

「いや！」

そこは乾いていた。まるでこの男を拒むように。

「やぁ！」

吐き気が込み上げるほどの嫌悪感と悪寒が彼女の背筋に走る。

「……初心《うぶ》なんだね、ユーリ。安心したよ……」

しかしセドリックは、自分の愛撫にまったく感じないユーリをいいように解釈し、満足気でさえある。

「ちが……」

自分はそんな純粋な乙女じゃない。

何度もルーファスに抱かれた。そのたびに、ルーファスに『淫乱』と言われてしまうくらい、乱れてしまった。

最初に抱かれたときは恐怖を覚えたし、媚薬を使われたからあんなに淫らに乱れてしまったのだと、ユーリは思っていた。だが自分が快楽に溺れた理由はそれだけではないと、今ならわかる。

相手がルーファスだから、愛している人に抱かれるから自分はあんなにも感じてしまったのだ。

「やだ！　ルーファス！　ルーファス！」

ギュッと瞑った瞼の向こうに、ルーファスの仏頂面が浮かぶ。怒ったように自分を見つめる赤い瞳が、恋しくて仕方なかった。

「ユーリ……」

「助けて！　ルーファス！　ルーファス……！」

身体を動かすたびにベルトが擦れて痛かったが、そんなことはおかまいなしに身をよじり、声の限りルーファスの名を呼ぶ。

「ルーファス！」

「ユーリ！」

「!?」

泣き叫ぶ口をセドリックの手で塞がれそうになった、そのとき。

「ユーリ！　そこにいるんですね！」

「ルーファス……」

寝室の扉の向こうから、待ち望んでいた人の声が聞こえてきた。

「どうして……」

助けを求めてはいたけれど、本当に来てくれるとは思ってもいなかった。

ユーリとセドリックが知り合いであることをルーファスは知らない。だから、攫われた自分がここに連れ込まれていることも彼は知らないだろうと思ったのだ。逃げたと疑われても仕方ないとも思っていた。そうして、今度こそ見捨てられるかもしれないと。

「ルーファス……」

そう思う一方で、ユーリはルーファスに救い出して欲しいと望んでいた。それが無茶な願いだと頭ではわかっていても、彼に助けを求めずにはいられなかった。

そしてルーファスは来てくれた。その事実に、ユーリの緑色の瞳からぽろぽろと涙が零れた。

鍵のかかっているらしい扉がガタガタと乱暴に揺さぶられる音がして、大きな音を立て倒された。

「ユーリ！」

「ルーファス……！」

寝室に乱入したルーファスの視線が、寝台の上、半裸の状態でユーリに跨る金髪の男と、そして彼の下に組み敷かれ、泣いている彼女に向けられる。

「貴様……っ」

地を這うような声に、ユーリはびくっと震えた。

それはかつて、ユーリが彼を怒らせてしまったとき以上の、激しい怒りを孕んだ声だった。見ただけで人を射殺してしまいそうなほど鋭い眼差しが、ユーリの上に跨るセドリックを貫く。

「……伯爵家の若君が、人の妻を攫い、強姦しようとするとは……。最低ですね」

「なっ！　黙れ！　お前こそ、ユーリを無理やり自分のものにしたろう！」

「私はちゃんと、彼女に選ばせましたよ。娼婦になるか、私の妻になるか。どちらが良いか、とね」

ユーリが自分の妻になったのは、他ならぬ彼女の意志だと。そう、ルーファスは告げる。その通りだと、ユーリは頷いた。

借金を盾に迫られた結婚だが、サインをしたのはユーリ自身。そしてルーファスもまた、セドリックが今しているようにユーリの身体の自由を奪い、半ば無理やりに純潔を奪ったが、そうされても逃げ出さず彼の傍にいたのは、他ならぬユーリの意志だ。

「彼女は私のものです。さあ、返してもらいましょうか」

「ふざけるな！　お前のような薄汚い犯罪者などに、彼女を渡せるものか！」

犯罪者と誇られて、ルーファスの赤い瞳が驚きに見開かれる。

「ああ……。そういえば、私達のことをうるさく嗅ぎまわっていたのは、あなたでしたね……」

しかしルーファスは、激昂するセドリックとは対照的に、酷く落ち着いているように見えた。

「それがどうした！　言い逃れでもするつもりか？」

「まさか。たしかに私は、暗殺に手を貸した犯罪者です」

「!?」

　あっさりと肯定され、ユーリは驚きに目を見張る。

（そんな……。シーザーが言っていたのは、本当のことだったの……？）

「あなたの言う通り、私は彼女に相応しくはない。この手は人の血で汚れている」

（ルーファス……！）

　嫌な予感がユーリの胸を突いた。まさかルーファスは、このまま自分を手放すつもりなのだろうか、と。そんなのは嫌だと、ユーリは強く思う。

　彼が人を殺したことがあるという事実よりも、それを理由に離れなければならないことの方が、ずっと辛かった。

（……私は……）

　たとえ人殺しでも、ルーファスのことが好きだ。愛しいと思い、ずっと彼の傍にいたいと思う。そんな自分の浅ましさに失望しながらも、それでもユーリの中で、ルーファスを求める気持ちは止まらなかった。

「人を救うために学んだ医術を、人の命を奪うために使った。それは、今更消しようのない事実です。ですが……」

　ルーファスはその右手を寝台に、否、ユーリに向けた。

「だからといって、私は彼女を手放しはしない！」

「っ」

冷静に話していたルーファスが、語気を強めて言い放つ。

その言葉に、とくん、とユーリの胸が高鳴った。彼が言ってくれた言葉は、ユーリが一番欲しかった言葉だった。

「ルーファス……っ」

「さあ、返してもらいましょうか若君。私の妻を」

「……っ。痴《し》れたことを……！」

苦虫を嚙みつぶしたような顔で、セドリックはゆっくりと寝台から降り立った。

そして、傍に置いていた剣を手にとり、ルーファスに構える。

「！　やめてシーザー！」

ルーファスは丸腰なのだ。このままでは殺されてしまうと、ユーリの顔から血の気が引く。

「お前のような犯罪者など、今すぐ俺が成敗してやる！」

「やめてえええええ！」

ユーリの目の前で、セドリックの剣が振り下ろされる。

しかしルーファスは、ふっと薄笑いを浮かべて、その剣を避けた。

「はいはい。そこまでー」

「!?」

代わりに、ルーファスの後ろから現れた男が、自身の持つ剣でセドリックの剣を受け止める。

「ははー。すんごい修羅場に巻き込まれちゃったんですけどー俺」

場にそぐわない呑気な声で言う、黒衣の男。

「あ……」

その顔は今も黒いローブに覆われていて窺えないが、彼は最近館でよく見かけていた男だ。ルーファスのもとに何度も足を運んでいた。

「よいしょ……っとぉ」

彼は軽々と、抑えていた剣を弾いてしまう。そしてそのままセドリックの剣に打ち込んだ。

「……っ」

細身の身体からは想像もつかない重い一撃が、セドリックの剣を揺らす。体格ではセドリックの方が有利に見えるが、彼は黒衣の男の剣に押し負けていた。

「隙、ありまくりだぜ？」

そう呟くと、黒衣の男は剣を握るセドリックの手めがけて蹴りを繰り出した。

「ぐあっ……！」

剣を交えている最中にまさか蹴りを入れられるとは思わなかったのか、セドリックの手から剣が転がり落ちる。絨毯の上に落ちたその剣を足で蹴飛ばして遠くへやると、自分の剣をセドリックの首の横に当てて動きを牽制した。

そして黒衣の男はやれやれと、ルーファスを振り返る。

「こういうのってさ、お前の役目じゃないの普通」

奪われた妻を奪還するために戦うのは、他人の自分じゃなくお前の役目だろうと、黒衣の男は呆れたように肩を竦めた。

だがルーファスは、悪びれる様子もない。

「私はこういうのは専門外なんですよ。何のためにあなたを連れて来たと思ってるんですか」

「……っ、貴様らァ……！」

蹴りつけられた手を押さえるセドリックが、鋭く二人を睨みつける。

セドリックの住まう領主の館には、護衛の騎士が常駐している。それにもかかわらずルーファスが寝室まで来られたのは、この黒衣の男がいたからなのだろう。

寝室まで侵入され、呆気なく剣を落とされたセドリックは怒りに震えていた。

「貴様らまとめて、処刑してやる！」

悪鬼のような形相で唾《つば》を吐き散らしながら、セドリックはしきりに「殺してやる！」

「首を刎《は》ねてやる！」と激しく息巻いた。首のすぐ横に剣を当てられているわりに、威勢が良い。それとも恐怖のあまり虚勢を張っているのだろうか。

ルーファスと黒衣の男は、それが負け犬の遠吠えであると言わんばかりに肩を竦める。駄々をこねる幼子をやれやれと見ている大人のような、そんな余裕さえ感じられた。

「それは無理だと思うよー」

黒衣の男は飄々と言い放つ。

「なにをっ……」

「声だけじゃわかんないかー。だよねえ。俺、君と話したことないし。でも、顔を見ればわかるよねえ」

言って、男は被っていたフードをぱさりと脱ぐ。そして長い前髪を耳にかけて、その容貌を晒した。

艶やかな黒髪に、黒曜石のような瞳。薄い唇は人をくったように笑っている。

そして何より人目を引くのは、彼の左目元に横に走る傷だ。

「！　そ、そんな……」

男の顔に、セドリックは見覚えがあった。

「馬鹿な……。近衛騎士団隊長、レイヴン・ヘンドリック卿……」

彼は、黒衣の男——レイヴンの名を呟く。

(近衛騎士……)

ユーリもまた、信じられないものを見るような目でレイヴンを見た。

彼の存在は知らなくても、『近衛騎士団隊長』という存在が王族に近しい高位騎士であることは、ユーリも知識として知っていた。

王族に仕える近衛騎士は、十二の隊に分けられている。その隊を指揮する隊長が、目の前の男、レイヴン・ヘンドリックなのだ。

どうして近衛騎士が、ルーファスと行動を共にしているのだろうか。

「なぜ貴殿が……」

「んー？　君がさっき言った通りだよ。俺とこのやぶ医者は『仲間』なの。その意味、わからない？」

「まさか……そんな……」

未だ信じられないと言わんばかりに、セドリックはレイヴンを見やる。先ほどまでの勢いなど見る影もなく、彼の声は震えていた。

「それでは……王太子殿下が……」

セドリックの言葉に、ユーリははっとルーファスの顔を見つめる。

ルーファスは、自分が暗殺に手を貸したことを認めた。そしてセドリックの口ぶりから察するに、彼の仲間であるレイヴンの主はこの国の王太子。ということは、ルーファスの背後にいて、暗殺の命を下したのは……

「これ以上、私達の周りを嗅ぎまわるのは止めた方が良いですよ、若君」

鬼の首をとったような顔で、ルーファスはつかつかとセドリックに歩み寄る。

「我らの主は、敵と見なした者に容赦ない苛烈な方です。あなたも、そうなりたいですか？」

「……っ」

赤い瞳に見据えられ、セドリックはびくっと震えた。

自分達に危害を加えることは王太子殿下を敵に回す行為だと、言外にルーファスは脅しているのだ。

「く……っ」

「そうそう。やめた方が良いよセドリック殿」

おっかない人だからねーと、レイヴンは笑ってみせる。

だがその目は、笑っていなかった。セドリックが従わなければ、彼はその剣でセドリックを殺すだろうことは、ユーリにも察せられた。

「わかったら、もう二度とユーリに近付かないでください。そうでなければ、私があなたを殺します」

「何を馬鹿な……っ」

そんなことをできるはずがないと言わんばかり、セドリックはルーファスを睨みつける。

「全身の孔という孔から血反吐《ちへど》を噴いてのたうち回り、三日三晩苦しんだ末に死んでいく薬がいいですか？　それとも、激痛に肌を掻きむしり、血で真っ赤に染まりながら醜く死んでいく薬がいいでしょうか？　選ばせてさしあげますよ」

まるで歌うように言いながら、ルーファスは懐から二つの小瓶を取り出した。

「さあ、どちらがお好みです？」

「ひっ……」

ルーファスはセドリックに近寄ると、目の前で小瓶の封であるコルク栓を抜いた。

そして笑みを浮かべながらゆっくりと、小瓶をセドリックの口元に傾けてみせる。

「ひとくち口にするだけで、地獄の苦しみを味わえますよ」

セドリックの視線の先で、瓶の中の毒薬がちゃぷんと揺れた。これを少しでも口にしてしまえば、先ほどルーファスが言ったような苦しみが全身を襲い、やがて死に至るのだろう。

そんな危険な毒薬を手に笑ってみせるルーファスに、先ほどまで二人を処刑すると息巻いていたセドリックはうっと押し黙る。

「冗談と思わない方が良いよ、セドリック殿。その男、本気で言ってるから。そして、その男が本気でそれを実行しちゃってもさぁ」

恐怖に竦むセドリックに、レイヴンがさらなる追い打ちをかける。

「我らの主は、それを黙認するだろうねぇ。それくらい、主はこのやぶ医者のこと気に入っちゃってるのよ」

「……っ」

ぐっと、セドリックは奥歯を噛み締めた。

自分より身分が下のはずの町医者に屈することは、彼の貴族としての矜持が許さないのだろう。

「……っ」

だが、結局セドリックは力なく頷いた。そして、もう二度とユーリには近付かないと誓う。愛人にしようとしたユーリよりも、自分の命を惜しんだのだ。

「わかっていただけたなら何よりです」

ルーファスは満足気に頷くと、毒薬の瓶に封をして懐に戻し、セドリックの横をすり抜けて寝台に向かう。

ユーリは茫然と涙を流したまま、固まっていた。

ルーファスが助けに来てくれたと思ったら、彼は仲間を連れていて、その仲間は王族――王太子殿下に仕える近衛騎士で、ルーファスも王太子殿下の命で暗殺に手を貸していて。

(ルーファスが……王太子殿下の暗殺者……？)

突然発覚した事実の数々に、ユーリは混乱していた。

「……ユーリ」

ルーファスは、茫然と涙を流したまま、ぱちくりと大きく目を見開くユーリの拘束を解いた。しどけなく乱れた姿、そして暴れたせいで赤く擦った痛々しい両手足首の痕を見て、痛々しげに目を細める。

「……まったく」

やはり殺した方が良いのかもしれない、と小さく呟き、ルーファスはちらりと、セドリックを睨みつけた。

「ひっ」

睨まれたセドリックは、まるで蛇に睨まれた蛙のように小さくうめき声を上げ、後ずさった。それを、レイヴンがくっくと笑いながら見ている。彼の剣はもう鞘に収められていた。それで脅さなくても、彼はもうルーファスに手出しはできないだろう。

「ル、ルーファス……？」

拘束を解かれたユーリは、ルーファスに横抱きに抱き上げられた。

恐る恐る彼の名を呟きながら、彼女はそっとルーファスの頬に手を伸ばす。

「なんです……」

「ご、ごめんなさい……」

不機嫌そうに眉を顰められ、ユーリは慌てて謝罪した。自分の意志ではなかったとはいえ、こんな状況を招いてルーファスに迷惑をかけてしまったことが申し訳なかった。

そして、それと同じくらい……

「ありがとう……っ」

助けに来てくれたことが嬉しくて、ユーリはぎゅっと、ルーファスの首にしがみついた。

「ユーリ……？」

ユーリの突然の行動に驚きながらも、ルーファスはそっと彼女の身体を抱きしめ返す。その優しい抱擁にずっと堪えていた感情の堰《せき》が崩れ、ユーリの瞳からまたぽろぽろと涙が零れた。

「こわ……かった。怖かったよ……ルーファス……」

ルーファス以外の男に触れられるのが、嫌でたまらなかった。

彼に殺されそうになったあのときより、セドリックに犯されかけたことの方が怖かった。あのままセドリックに犯されていたらと思うと、今も恐怖が込み上げてくる。そうなっていたら、きっと自分の心は死んでしまうだろうとユーリは思った。そしていつか、肉体の死を自ら望むようになっていたかもしれない。それほどまでに彼女の心と身体は、ルーファス以外の男を拒んでいたのだ。

彼女は涙ながらに、ルーファスにしがみつく。

「ルーファスが人殺しでも、いい……」

ぽつりと呟いた言葉に、自分自身が一番驚いていた。

人の命を奪ったかもしれない、そして先ほども容易く毒を盾に人を脅した彼が恐ろしくないと言ったら嘘になる。そして彼がこれからもその手を汚していくのかもしれないと思うと、胸が張り裂けそうなくらい苦しかった。

けれど、それでも、ユーリは願わずにはいられなかった。そう願ってしまう自分が罪深いとわかっていても、止められない。

「ルーファスの傍に、いたいよ……」

「ユーリ……」

涙に潤んだ視界の向こうで、ルーファスの赤い瞳が驚きに見開かれる。

「ルーファスが好きなの。ルーファスがそう思ってくれてなくても、私……」

「！」

ルーファスが自分をけして手放しはしないと言ってくれたとき、ユーリは嬉しくてしょうがなかった。その執着に、身も震えるほどの歓喜を覚えたのだ。

そんな自分もまた、とうに彼に溺れているのだと、執着しているのだとユーリは気付いた。気付いたらもう、想いが溢れて止まらなかった。

「……ちょ、ちょっと待ってください。私がそう思っていなくてもって、どういう意味ですか」

「え……」

きょとんと、ユーリは目を見開いた。

「私が、愛してもいない女のためにここまでするとと思ったんですか」

「!? だ、だって……」

他ならぬルーファスが言ったのだ。ただ自分の欲を満たすだけでいいと。ユーリに求めるのは、それだけだと。

だから自分は、彼にとって専属の娼婦に過ぎないのだと思っていた。

それに……

「まったく……。まだまだその身に、教えてあげなければいけないようですね」

「！ だって、だってルーファス。一度もそんなこと言わなかったよ！」

「愛している」なんて一言も言われたことがない。それどころか、「好き」とさえ言われたことがないのだ。それでどうして自分が愛されていると思えるのかと、ユーリはルーファスに食ってかかる。

だが彼は素知らぬ顔で、

「……そうでしたっけ……？」

と首を傾げてみせる。

「酷いよ！ い、言ってくれなきゃわからない……」

ユーリの瞳から、涙がさらに溢れ出す。

ルーファスはその泣き顔に少しだけバツの悪い顔をするが、一つため息を吐くとユーリに顔を近付けた。

「……言って欲しかったんですか？」

耳に囁かれたルーファスの声は、少しだけ困っているような、そんな響きを帯びていた。

「っ」

「ユーリ……？」

なんて酷い男だろう。わかっているくせに、ユーリにわざわざ言わせようとする。

「い……言って、欲しい……」

でも自分はこの酷い男を愛してしまったのだと、ユーリは目の前で微笑を浮かべるルーファスを見つめる。そう素直に気持ちを認めてしまえば、躊躇いも無くなった。

「……言って、ルーファス。私のこと……」

愛しているって、言って。

そう、潤んだ瞳で懇願するユーリに、ルーファスは満足気に微笑んで、その唇を奪った。

「んっ」

熱い唇が、舌が。優しく、ユーリの口内を犯していく。

「ふあ……っ」

その口付けに、身も心も蕩けて、何も考えられなくなってしまう。

「んっ。んん……。ルー……ファス」

「愛していますよ。ユーリ」

「！」

一度唇を離し、ルーファスは優しく微笑んだ。

それからちゅっと、今度はユーリの鼻に口付ける。

「幼い頃から、ずっと。あなただけを、愛しています」

「ルーファス……」

嬉しさのあまり、ユーリの瞳からまた涙が零れてくる。尽きることのない彼女の涙に、ルーファスは呆れたように笑ってみせた。

「泣き虫ですねえ、ユーリは……」

「誰のせいだと……っん」

ルーファスの唇が、彼女の瞳から溢れる涙を吸う。

「……ふふ。わかっていますよ。全部、私のせいですね」

まるでそれが嬉しくてたまらないと言わんばかり、ルーファスの口元がにやりと笑んだ。

「……ルーファス……」

「……ユーリ、もう一度言ってくれませんか？　私を……愛しているって」

彼女がそう思っていたのと同じように、彼もまた、ずっとその言葉が欲しかったのだ。

「愛してる……！　ルーファス」

「ユーリ……」

互いの名を呼び合いながら、ユーリとルーファスは熱く熱く見つめ合った。それはまるで、世界に二人しか存在していないかのような甘いひと時……、だった、のだが。

「あのー」

「そういうことはさー、二人っきりのときにやって欲しいんですけどー」

「!?」

生憎と、この世界に存在しているのは二人だけではなく、ましてここはセドリックの寝室で、ユーリとルーファスの他にレイヴンもセドリックもいるのだ。

ルーファスの腕に抱かれ、すっかり彼の口付けに夢中になっていたユーリはそのことにようやく気付き、かあっと顔を赤らめる。

「ご、ごめんなさい！」

人前でなんて恥ずかしいことをしてしまったのだろうと、ユーリは羞恥心のあまり両手で顔を隠し俯いた。

「いや、君は悪くないよー。悪いのは、そこの色ボケしたやぶ医者だから」

「誰が色ボケしたやぶ医者ですって？　気にすることはありませんよ、ユーリ」

さ、続きを……と再び唇を寄せるルーファスに、

「気にしろって！」

「気にするよ！」

レイヴンとユーリが、一緒になって声を張り上げる。

「ちっ。しょうがありませんね……。レイヴン、後は任せましたよ」

ルーファスはそう言って、レイヴンに面倒な後始末を全て押し付けると、

「……帰って、二人っきりで続きをしましょう」

自分の愛をたっぷりと刻み込んであげますよと、ユーリの耳に囁く。その言葉にさらに顔を真っ赤にする彼女は、彼の腕に抱かれたまま領主の館を後にした。


領主の館から戻ったルーファスは、ユーリを抱き上げたまま寝室に直行した。そして彼女の身体を寝台の上にのせ、ここでしばらく待っているようにと言いつけて、寝室を出て

いく。

一人残されたユーリは、身に纏っていた夜着をもそもそと脱ぎ始めた。セドリックが用意したこの夜着を、いつまでも身に纏っているのが嫌だったのだ。ユーリがこの夜着に袖を通すことはもう二度とないだろう。

夜着を脱ぎ、少し悩んで下着も替えてしまう。

そうして彼女が再び寝台に上がった頃、ルーファスが薬箱を手に戻って来た。

「ルーファス……?」

「…………」

彼は無言でユーリの隣に座り彼女の手首をとると、その肌に刻まれた痛々しい擦り傷に薬を塗りつけていく。白いクリーム状の薬だ。これも彼が作ったのだろうか。

そして薬を塗った傷痕に、ルーファスは丁寧に、白い包帯を巻いていく。

「……ルーファス……」

「なんです……?」

ユーリの顔を見ることなく、黙々と手当てをしてくれるルーファスに、ユーリは躊躇いがちに問う。

「あの……。シーザーの部屋でルーファスが言ってたこと、本当……なの?」

「私が、王太子殿下の命で暗殺に手を貸したことですか？」

「う、うん……」

「言ったでしょう。事実です。……でも、あなたはそんな私の薄汚れた手を、とってくれた。違いますか？」

彼女の右手を自分の両手でそっと掴んで口元に寄せ、ルーファスは上目遣いにユーリに問うた。

「違わないよ！　ルーファスが、好き。……でも、あの……。どうして、なのか。聞いても、いい……？」

ルーファスはロダンで医術を学んでいたはずだ。

そんな彼が、どうして王太子のもとで暗殺に手を貸すようになったのか。

「……構いませんよ。少し長くなりますが、いいですか？」

「う、うん」

ユーリの手当てを終えて薬や包帯を薬箱に戻すと、ルーファスは腰を落ち着けて事のあらましを語り出した。

「……王太子、アレクシス・アラステア・フィリス殿下。彼と出会ったのは、今から三年前のことです」

三年前、十八歳のルーファスはロダンの高等学術院に在籍し、医術を学んでいた。

ロダンの高等学術院では、基本的な教養科目の他に、文学、医学、工学、史学、農学と、各種専門的な学問を選択し学ぶことができる。そして高等学術院を卒業すると、それぞれに特化した学術校へ進学できるのだ。その評価は完全なる実力主義。認められれば早く上の学年に、そして上の学校に進学することができる。逆に、認められなければ進学も卒業もできない。故に、同じ学年でも生徒の年齢はバラバラだった。

そんな中で、ルーファスは早くから実力を認められていた。まだ高等学術院の学生ながら、医術学校の研究者並みの待遇を与えられていた。つまり彼は、高等学術院を卒業し、医術学校で学べるだけの成績評価を得ていたのである。

スキップ進学もままあるロダンで、しかし彼がそれをしなかったのは「周りに急かされるのは性に合わないから」らしい。

「……ルーファスって……」

そういえば彼は昔からマイペースなところがあったと、ユーリは少し呆れつつ、彼の話に耳を傾ける。

「……こほん。続けますよ」

そしてこの年、フィリスの王太子であるアレクシス殿下が同じ高等学術院に留学してくる。

　フィリスの王族には、ロダンの学術都市に留学する慣わしがある。その慣例に従い、王太子もロダンの高等学術院に入学してきたのだ。

　彼の周りには常に取り巻きとして選ばれた学友達と、そしてその身辺を警護する騎士達がいた。

　同じ学び舎で生活するルーファスも、たまに廊下で王太子とすれ違うことはあったが、会釈をする程度の間柄であった。

　王太子はルーファスよりも小柄で線の細い、しかしぞっとするほど顔の整った美しい青年だという。

　漆黒の瞳に、鴉の濡れ羽色の髪。だがその一房だけが、雪のように白い。

　一介の学生であるルーファスと王太子。ただ同じ学校に所属しているというだけの関係。それが変わったのは、王太子が入学して半年後のことだった。

「私は当時、毒草の研究をしていました。正確には、毒をもつ植物を薬に変える研究……ですがね」

　医術を学ぶ傍ら、ルーファスは毒草の研究に明け暮れていた。それを王太子は知っていたのだと、ルーファスは言う。

「当時、王太子殿下には政敵がいました。国王陛下の実弟。つまり、彼にとっては叔父にあたる人物です。王太子殿下が生まれなければ、王弟殿下は王太子として、王位を継いでいた。どうやら生まれたときから、彼は叔父に命を狙われていたようですね」

「そんな……」

王太子の、一房だけ白い髪。

それは過去に盛られた毒の影響だと、後にルーファスは知らされた。

「なかなか証拠を残さない周到で狡猾な叔父に、王太子殿下は何度も命を狙われてきました。そして、ロダンでも……」

『ルーファス・ブラックフォードはここか！』

ある夜。ルーファスの研究室に駆けこんできた近衛騎士――レイヴンは、血相を変えてルーファスを王太子の寝所に連れて行った。

王太子が毒を盛られたと言うのだ。

『どうして私が……』

ロダンには、他にいくらでも腕の良い医者がいる。

だというのに彼らはなぜか皆、出払っていた。王弟が手を回したのだと、レイヴンは忌々しげに吐いた。その夜、毒に対処できる医者は誰一人いなかったのだ。他に残った医者も、毒の特定もできず処置の方法もわからず、皆匙を投げた。

そこで、毒草の研究をしていた一介の学生に過ぎないルーファスに声がかかった。

ルーファスを呼ばせたのは、他ならぬ王太子本人らしい。

毒を盛られ、息も絶え絶えの王太子は病床の床で、しかし爛々とした瞳でルーファスを見据えた。

「自分を助けなければ殺してやる、と脅されましてね。しょうがないので、殿下から採血した血を調べて、盛られた毒を特定して、解毒薬を調合しました」

「しょうがないのでって……」

王太子の命に関わる治療を断れば、そしてもし治療をしたとしてもその甲斐なく命を落とすような事態に陥れば、ルーファスはその責任を問われ処断されていたはずだ。彼には王太子を助けるという選択肢しか残されていなかったのだ。

そして王太子はルーファスの調合した薬で一命を取り留め、回復した。

「ルーファスは、王太子殿下の命の恩人なんだね」

ユーリは素直に感心してみせる。

「……………」

(命の恩人、ねぇ……)

しかし賞賛されたルーファスはというと、何やら腑に落ちないとでも言わんばかりの顔をしていた。

「殿下も、ユーリくらい素直な性格なら良かったんですがね」

「え？」

そしてルーファスは、三年前のあのとき、一命をとりとめた王太子と会話したときのことを思い返し、ユーリに語って聞かせた。

『お前、毒に詳しいらしいな』

毒に奪われた体力を回復する薬湯を煎じてやったルーファスに、王太子は言った。

『ルーファス……。お前、無味無臭の毒薬は作れるか？』

『は……？』

『ああ、血反吐を吐いてのたうち回るような毒が良い。それとも、体中の孔という孔から血や体液をみっともなく垂れ流すような毒が良いかな。全部、私がこれまで叔父に飲まされてきたものだ』

『…………………』

うっとりと、天使のような微笑を浮かべて彼は言った。

『せっかく手の込んだ贈り物をいただいたのだ。それ相応の物をお返ししなければな。そう思うだろう？　名医殿』

自分の命を救った医者に、彼は命じたのだ。

叔父を殺す毒を作れ、と。

『今まで私は、随分と辛抱強く耐えていたよ。何度毒を盛られても、いつか証拠を摑み公式の場で法の下で叔父を断罪するのだ、とね』

『……………』

『だがもう許してはやらない。彼は私の、一番大切な者を奪った』

今回盛られた毒に倒れたのは、王太子だけではなかった。

彼の護衛として傍に仕えていた女騎士が一人、犠牲になったのだ。

彼女の解毒は間に合わなかった。彼女は王太子より多く毒を含んでいたのだ。

ルーファスが駆け付けるより先に、彼女は亡くなった。同じ毒に倒れた王太子の腕の中で。

王太子はその騎士を、深く深く愛していたという。

それまで、叔父を激しく憎みながらも一国の王太子として自制してきたアレクシスの理性を、愛する者の死が引きちぎった。

『苦しんで苦しんで苦しんで。いっそ早く殺してくれと思うくらいの激痛の果てに死ぬ毒を作るんだ。その代わり、報酬は弾むよ。ああ、それから……』

断ることは許さない、と。王太子は笑ったという。

無理も無い。王太子が叔父である王弟に明確な殺意をもって、彼を殺す毒を作るようにと命じたのだ。自分の企みを知ったルーファスを、そのまま見逃すわけが無い。

ちゃき、とルーファスの首に剣の刃先が当てられる。護衛として控えていたレイヴンの剣だ。その否《いな》やを言わせない態度に、ルーファスはやれやれとため息を吐いた。

『……仰せのままに』

それから、ルーファスは王太子の望みどおりの毒を作り上げた。

そしてその毒は、王弟に盛られた。王弟がやってのけたのと同じ、いやそれ以上に周到な手で。

王太子は証拠を残さず、疑いの目も向けさせず。完璧に、叔父を暗殺したのだ。

そしてそれ以来、今に至るまで、王太子はルーファスに作らせた毒と薬を用い、反王太子勢力の力を殺いでいった。中には、王弟について王太子の暗殺未遂に関わった貴族達もいたという。

セドリックが王宮でルーファスを見かけたとき不審な死を遂げた貴族も、その一人だ。

「私は王太子殿下のお望みどおり、毒薬や尋問に使う自白薬を研究し、調合してきました。

レイヴンはその薬の運び役です」

「…………」

あまりにも自分の世界とはかけ離れた話に、ユーリは絶句する。

華やかな夢物語のような場所だと思っていた王宮の裏側で、そんな権謀術数が繰り広げられていたとは、それこそ夢にも思わなかった。そしてそれに自分の幼馴染みが関わっていたとは。こうして彼に話を聞いている今も、現実感が沸かない。

「殿下は……。まあ、性格は大分アレですけど……」

ルーファスが言うには、王太子の性格は大分歪んでいるらしい。幼い頃から絶えず命を狙われて育ったせいだろうと、彼は言葉を続ける。

「愛する者の死が、それまでかろうじてあった殿下の理性を壊したんでしょうね。あの方は、美しい顔に美しい笑みを浮かべながら、平気で人を傷付けられる。そんな男です」

そして、私と殿下は、どこか似ているんですとルーファスは自嘲するように言った。

「もし私が、愛する者を……あなたを失ったとしたら、私はきっと殿下と同じ道を選ぶでしょう。だから、ですかね。あのとき、殿下の命に従って毒薬を調合したのは」

もちろん、そうしなければ自分の命が無いという状況もあったが、ルーファスは王太子の意志に共感したのだという。そのとき頭に過ったのは、他でもないユーリの存在だったと、彼は愛おしげにユーリの頬を撫で、言った。

「ルーファス……」

「……まぁ、あの方は金払いだけは良いのでね。おかげで、あなたを借金から救うことだって簡単にできました」

ルーファスはにっこりと微笑んでみせた。

「あなたに隠していたのは、これくらいです。大っぴらにできる話ではないので、黙っていましたが。いずれ折を見て話そうとは思っていましたよ。ああ、でも鍵の付いた部屋や地下室には入らないでくださいね。扱いの難しい毒草を置いているんです」

「……………」

ルーファスがずっと隠していたこと。それがようやくわかって、ユーリの心にかかっていた重い霧がすっと消えていく。

「それから、レイヴンにはけして近寄らないように。余計なことしか言いませんからね、あの男は。……ユーリ……？　嫌に、なりましたか？　私のことが……」

黙ったままのユーリに、ルーファスが問う。

「！」

珍しく不安そうな顔を見せる彼に、ユーリは慌てて首を横に振った。

「……言った、でしょう。たとえあなたが、罪深い犯罪者でも……」

ユーリはそっと、目の前の愛しい男の頬に手を伸ばす。

彼が罪人だというなら、一緒にその罪を償っていこう。

ずっと、一緒に……

「あなたを愛してる……、って」

「ユーリ……」

ルーファスの顔が、そっと近付いてくる。

そして互いを求め合うように、二人の唇が合わさった。

「ん……」

啄ばむようなキスを交わして、ルーファスはじっとユーリの瞳を見つめる。

「……あなたが私のやっていることを知って何を思おうと、関係ないと思っていました。人殺しと誇られ嫌われたとしても、あなたを手放すつもりはなかったから。泣いて嫌がっても、けして離すまいと。でも……」

ルーファスはまるで宝物に触れるように、優しくユーリの頬を撫でる。

「あなたは私の罪を知ってなお、この手を取ってくれた。それがどれだけ嬉しかったか……わかりますか？　ユーリ」

彼の白い髪に手を伸ばすと、とさりと寝台の上に押し倒される。

そして再び唇が重なった。

「ん……」

唇を合わせたまま、ルーファスの手がユーリの夜着の胸元に伸び、紐を解いて脱がしていく。

ユーリは抵抗することなく身を任せた。上半身はすっかりはだけられ、白い胸元が露わになる。

「あっ……」

彼の細い指が、ユーリの豊かな丘陵の上、他の男に刻まれた忌々しい赤い痕をなぞる。

「ああ、そういえば……」

にっと、彼はユーリを見下ろしながら笑んだ。

それはルーファスがいつも閨で見せる、嗜虐的な微笑だった。

「っ」

「……他の男に肌を許したいけない奥さんに、『おしおき』しなければいけませんね」

「!? だ、だってあれは……」

あれはユーリの意志を無視して、セドリックが勝手にやったことだ。そして自分は抵抗したのだと、ユーリは目で訴える。

だが彼は笑みを浮かべたまま、ユーリの耳を甘噛みした。

「ひゃっ」

硬い歯に食まれ、舌先で耳朶を舐められる感触に、ぞくりとユーリの身体が震える。

「……でも、ユーリは『おしおき』が好きでしょう？」

「んっ」

その手が、きゅっとユーリの胸の頂をつまむ。

くりくりと先端を刺激されて、きゅん、と下腹の奥が疼いた。

「うう……っ」

ユーリは羞恥心に頬を染めながらも、彼の言葉を否定できなかった。

意地悪なルーファスに『ご褒美』や『おしおき』と称していやらしいことをされている
うちに、そうされることで快感を覚えるようになってしまったのだ。

「……言って、ユーリ。『おしおき』してくださいって」

「あう……っ。ん……ルーファス……」

ぺろっと、首筋を舐められながら胸を弄られる快楽に、涙が浮かんできた。

「あ……。ルーファス……っん……」

「ユーリ……？」

そして今ならわかる。自分を甘く苛めることが、素直ではない彼の愛情表現なのだと。

だからこそユーリは、素直にその言葉を口にした。

「お……『おしおき』……して……くださ……い」

顔を真っ赤にしながら、ユーリは懇願する。

「よくできました」

ルーファスは満足気に笑みを深めて、褒美を与えるようにユーリの唇に口付けを落とした。


「ひゃっ……あっ、ルーファス……」

夜着を全て脱がされ、そして下着も脱がされて生まれたままの姿になったユーリは、寝台の上に仰向けに寝かされていた。

その身体に跨り、同じく裸体を晒したルーファスが、彼女の胸元に口付けていく。

わざと音を立て、忌まわしい痕の上から自分を刻みつけるようにきつく吸い上げ、赤い花を咲かせていった。

彼の両手は、ユーリの胸を愛撫している。

形が変わるくらいきつく揉み上げ、指先でクリクリっと頂を弄るのだ。

「あっ……ああ……んっ……」

愛らしい嬌声を上げながら、しかしユーリはぎゅっと彼の顔を自分の胸に押しつけるようにしがみつく。

彼女の身体は喜悦に震えていた。

セドリックに触れられたときは嫌悪しか感じなかったのに、ルーファスに触れられるのは、こんなにも嬉しい。

彼の手が肌の上を撫でるだけで、まだ触れられてもいない下肢が疼き、じゅん……と濡れてしまう。

今、この部屋に媚薬の香は焚かれていない。あの日、秘所や胸に直接塗られた媚薬もない。だというのに自分は、荒い息を吐いて自分の身体を貪るこの男の、その汗の匂いにすら発情している。

なんていやらしい身体になってしまったのだろう。

「ルーファス……」

「っふ……。そんなに物欲しそうな顔をして……」

「あっ」

ルーファスの指が、きゅっ！　っとユーリの胸の頂をつまみ上げた。

じん、と痺れるような痛みが走った。だが、その痛みすらユーリには快感に思えてしまう。

「いやらしいユーリ。可愛いですね……」

「あう……」

人の悪い笑みを浮かべたルーファスの舌に、ぺろ……と、赤く染まる頬を舐められる。

そして彼はそのまま、ユーリの耳に囁いた。

「自分の口で言いなさい。『私のいやらしいところを、舐めてください』って」

ルーファスの手がユーリの茂みを撫でる。

だが、それだけだ。彼は上半身ばかりを愛撫して、下半身にはまだろくに触れてくれていない。それが、もどかしい。

でも……

「……っ、そんな……こと」

そんないやらしいことを、自分でねだるなんてできなかった。

躊躇うユーリに、ルーファスは再度、低く囁く。

「言いなさい。ほら……『私のいやらしいところを……』」

「あっ……わ、『私の……』……っ」

「……ユーリ？」

再び、茂みにだけ触れるようにルーファスの手がユーリの下腹を撫でる。

それだけで、ユーリの身体はびくびくっと震えた。

「あ……『わ、私のいやらしい……ん……ところを……な……舐めて……下さい……っ』」

羞恥に目を瞑りながら、ユーリの唇は命じられた通りの言葉を吐いた。

「よくできました」

にっこりと笑うと、ルーファスは彼女の下腹に顔を埋める。

ぴちゃ……

「ひゃあんっ」

突き出された熱い舌が、入り口をなぞった。

きゅん、と。腰が疼く。

びくびくと震えるユーリの太股をしっかり押さえて、ルーファスはさらに舌を這わせた。

ぴちゃ……ぴちゃ……。自分の唾液を舌に絡めて、わざと音を立てて、彼女の花びら一枚一枚の形を舌で確かめるように、ねっとりと愛撫していく。

じわ……と、彼女の秘所から蜜が零れ始めた。

「ふふ……。ユーリのここ、とっても美味しいですよ」

「……っ。あ……ああ……」

じゅううっと、彼女の蜜を吸い上げる。

そうして口の中で己の唾液と絡ませて、さらにそれを花びらに擦りつけるのだ。

「あっ……ああ……ルーファス……」

甘えるような、そしてねだるような声がユーリの口から零れる。

自分が媚態を晒すほどにルーファスの熱も高まっていくのを、ユーリは感じていた。

「ユーリ……っ」

「ああああうっ！」

切なげに名を呼ばれたかと思うと強く花芯を吸い上げられ、ユーリの身体がびくびくと跳ねる。

「……はぁ……はぁ……」

そんなユーリをうっとりとした目つきで眺めていたルーファスはゆっくりと身を起こすと、勃ち上がった自身に手を添えて、達したばかりの彼女の花びらにあてがう。

しかし、そのまま彼女の蜜壷に入りはせずに、ゆるゆると自身で彼女の花びらを擦り上げる。

「ん……あ……ああっ……」

そのもどかしい刺激に、ユーリは涙で潤んだ瞳でルーファスを見上げた。

どうしていつもそうするように自身の中に挿入《はい》ってきてくれないのかと、その瞳は語っていた。

「ルーファス……」

ねだるように両手をルーファスに伸ばし、ぎゅうっと彼の身体を抱きしめる。

「……して欲しい？　ユーリ」

低い声に優しく囁かれて、ユーリはこくこくと頷いた。

「それじゃあ、ちゃんと言わないと駄目ですよ」

「え……？」

「自分でおねだり、してみせなさい」

先ほどのようには、ルーファスは言葉を指定してこない。自分で考えて言えと言っているのだ。

先ほどより難易度の上がった命令に、ユーリは困惑し眉を顰める。

どうしてこんなに意地悪をするの……？

彼女の緑色の瞳が、責めるようにルーファスを見上げた。

「ど……して……」

「これは『おしおき』だと言ったでしょう？　ほら、ユーリ。言って」

「あう……」

ルーファスの先端が、ユーリの花芯をぬちゅ、と探るように擦る。

だが、それだけだ。

それ以上の快楽は、ユーリが彼の言う通りにしないと与えられない。

「……っ、ルーファス……の……」

ユーリは必死に頭を悩ませ、そして、躊躇いながら口にする。

「ルーファスの……を……挿れて……くだ……さい……っ」

「どこに？」

「！　う……わ、私の……いらやしい所………あうっ！」

何の前振りもなく、猛り立った肉棒をいきなり挿入され、ユーリの背が弓なりに反る。

蜜壷を穿つ彼の凶器はユーリの想像以上に熱く、硬かった。

だが、ルーファスはユーリのナカに入ったきり、動こうとしない。ユーリの膣はひくひくと蠢いて、さらなる快楽をねだるように彼を締めつける。

「……あ……ルーファス……ぅ」

「挿れるだけでいいんですか？　ユーリ」

わかっているくせに、ルーファスはわざとそんなことを言う。

そうして彼女の前髪を掻き上げ、汗の滲む額にちゅ……と口付けを落とした。

「あ……い……いっぱい……」

「いっぱい？」

ぼろっと涙を零しながら、真っ赤な頬でユーリは懇願する。

「いっぱい、突いて……欲しい……。めちゃくちゃに……して……？」

「ユーリ……」

ルーファスは息を飲み、切なげに彼女の名を呼んだ。ユーリが素直に自分を求めてくるのが信じられない、だが嬉しいと言わんばかりに、うっとりとした眼差しを彼女に向ける。

「お望みどおりに……」

そして彼は身を起こし、彼女の太股を両手でしっかり掴んで、激しく腰を突き動かした。

「あっあっあっあっ」

彼の腰の動きに合わせ、泣き声にも似た切ない声が、ユーリの口から洩れる。

ぱんぱんっと、肌の合わさる音。そして、じゅぷっ、じゅぷっと二人の愛液が混じり合う音が、熱の籠る寝台に響いた。

「ユーリ……っ。ユーリ……」

彼はユーリの名を切なげに呼びながら、律動を繰り返す。

「あっ。ルーファス……ルーファス……」

愛しい人とようやく身も心も繋がりあえた悦びに、ユーリは歓喜の涙を浮かべていた。

「ルーファス……っ」

ユーリは震える左手を、彼に伸ばした。

それに気付いたルーファスは、彼女の太股から右手を離し、ぎゅっと、きつく指と指を絡め合って、繋がり合う。

そして思うまま腰を打ちつけるルーファスの肉棒が、ずくんっと深くユーリの蜜壷を穿つ。その拍子に、快楽の波が一気に高みへと押し上げられた。

「あっ、ああーっ」

最奥を突かれる快感にひときわ大きな啼き声を上げて、ユーリは果てた。視界が白く染まっていって、身も心も何もかもが白く溶けていくような気がした。

ユーリの下肢から、すーっと力が抜けていく。

しかし蜜壷はそれとは逆に、ぎゅうーっとルーファスを締めつけた。

「くっ……」

律動をゆるめたルーファスは、何かに耐えるように唇を嚙んで、最後に数度音を立て、激しく腰を叩きつけると、最奥で動きを止めた。

「……っ、ユーリ……」

愛しい女の名を呼びながら、身体を震わせる。

彼の欲が白濁となって自分のナカに注ぎ込まれるのを感じて、ユーリは再び身も震えるほどの歓喜を覚えた。

そして、目の前で泣き笑いにも似た表情を浮かべるルーファスを、ぎゅううっと抱きしめたいと思った。

「ルーファス……っ」

ユーリの腕が、ルーファスの身体を包み込むように抱きしめる。

「ユーリ……」

「ずっと、傍にいるよ……」

それは永遠を誓う約束の言葉で、そしてユーリの心からの願いだった。

意地悪で、けれど優しいルーファス。かと思えば、怖いくらいの執着で激しく自分を求め、束縛しようとする男。

最愛の男の胸に抱かれて、ユーリは想う。
命の果てるそのときまで、彼の愛に囚われていたい、と。

六、

それから一か月後。

ユーリはルーファスと二人、町の小さな教会にいた。

ルーファスは正装を身に纏っている。髪に合わせたような純白のフロックコートは、長身の彼によく映えた。

そしてユーリも、レースがふんだんに使われた美しい白いドレス――ウエディングドレスを身に纏っている。

今日は二人の結婚式だ。

しかし、参列者はいない。二人と、二人の誓いを見守る神父だけの、ささやかな式だった。

　けれど、ユーリはこうして結婚式を挙げられることが嬉しかった。

　白いウエディングドレス。そして愛する人との結婚式は、他の多くの乙女達と同じく、ユーリの憧れでもあったからだ。

　ルーファスにそのつもりはないと思っていたのだが、実は彼はユーリを館に連れてきたときから、この日のことを計画していたらしい。

　式が遅れたのはユーリが纏うウエディングドレスの完成を待っていたからで、このドレスは、ルーファスが彼女に似合うデザインをと、特注して作らせたものだった。

　完成したドレスを渡され、教会で式を挙げると言われたとき、ユーリは嬉しくて泣いてしまった。

（本当に嬉しかったなぁ……）

　ドレスをプレゼントされた日のことを思い出し、ユーリは心中で呟く。あの日のことを思うと、また涙が溢れそうだった。

『ありがとう……！　ルーファス……っ』

　泣きながらルーファスにしがみついたユーリは、ぽんぽんと優しく自分の頭を撫でてくれる彼の腕にしばし抱きしめられたあと、はっとして彼の手を引いた。

『あのね、私もルーファスにプレゼントがあるの』

そして、首を傾げるルーファスを西側の庭に連れて行った。

『これは……』

ルーファスの目が驚きに見開かれる。

かつてこの庭に咲いていたのと同じ花が、在りし日のように咲き誇っていたのだ。

『シルヴァティカ……』

『うん！　ルーファスの好きな花……でしょう？　こんなに綺麗に咲いてくれたんだよ』

『懐かしいですね……』

小さな青い花を見つめるルーファスの目が、優しく細められる。喜んでくれているのだと、ユーリはますます嬉しくなった。

『喘息のお薬になるんだよね？　畑のハーブも自由に使ってね』

『……私のために、育ててくれたんですか？』

『うん。私、ルーファスの役に立てた……？』

まさかユーリが自分のために花や植物を育ててくれていたとは思いもしなかったルーファスは、微笑みかける彼女をぎゅっと抱きしめる。

『ええ。こんなに素晴らしい妻を得られた私は、世界一の幸せ者です』

『ルーファス……』

褒めすぎだよ……と頬を赤らめるユーリに、ルーファスはそっと口付けを落とした。

『……こんなに素敵な贈り物には足りないかもしれませんが、実はもう一つ、あなたに贈り物があるんです』

『え……？』

そして今度はルーファスがユーリの手を引いて、彼の書斎へと連れて行く。

そこで手渡されたのは、一つの図面だった。

『これ……』

ブラックフォード邸の敷地内に隣接する形で描かれた、小さな店の設計図。端にはルーファスの筆跡で『エインズワース花店』と書かれている。

元の店は、残念ながらすでに人手に渡っていた。その話を人づてに聞いたとき、ユーリが寂しげに表情を曇らせていたことを、そしていつか花屋を再開したいと思っていたことを、ルーファスは気付いてくれていたのだ。

『前の店よりも小さいですが』

『ルーファス……っ』

図面を握り締めるユーリの瞳から、また涙が溢れてくる。

『ユーリ、せっかくの図面が涙でぐちゃぐちゃになってしまいますよ』

やれやれと彼女から設計図を取り上げたルーファスは、泣くならここで泣きなさいとユーリを自分の胸に閉じ込め、優しく背を撫でてくれた。

『……最初はね、あなたを働かせるつもりはなかったんです。ずっと私の傍にいて、私だけを見ていてほしかった。そうして閉じ込めておかないと、あなたがいつか私から離れていってしまうんじゃないかと……ずっと怖かったんです』

『ルーファス……』

『今は信じていますよ。あなたはけして、私の傍からいなくなったりしないと。でもね、ユーリ。やっぱり少し心配なので、夢を叶えるなら私の傍で叶えて欲しいんです。……受け取って、くれますか？』

『うん……。私、ずっとルーファスの傍にいるよ……っ。あり……がとう……っ！』


（お父さん……。私、今とっても幸せだよ。幸せすぎて、怖いくらい）

あれから、花屋再開の話は順調に進んでいる。

昨夜、ユーリは大切にとっていた父の形見の鋏を使って久しぶりにブーケを作った。自分のウエディングブーケを。

ブーケは、純白のバラとカスミソウで丸く形作られていて、その中心には白いバラよりも少し小さな花を咲かせる、鮮やかな赤いバラも入れた。

それは、ルーファスの髪と瞳の色。愛しい人の色だ。

そして今、彼女は自分で作ったブーケを手に、神の御前で永遠の愛を誓う。

「――ユーリ・エインズワース。あなたはその健やかなときも、病めるときも、喜びのときも、悲しみのときも、富めるときも、貧しきときも、彼を愛し、彼を敬い、彼を慰め、彼を助け、その命の限り、堅く節操を守ることを約束しますか」

神父が、誓いの言葉を口にする。

ユーリはちら……と、傍らのルーファスを見てにっこりと微笑むと、高らかに誓いの言葉を口にした。

「約束します」

「――ルーファス・ブラックフォード。あなたはその健やかなときも、病めるときも、喜びのときも、悲しみのときも、富めるときも、貧しきときも、彼女を愛し、彼女を敬い、彼女を慰め、彼女を助け、その命の限り、堅く節操を守ることを約束しますか」

「約束します」

ルーファスもまた、笑みを浮かべて頷く。

「よろしい。では、神の御前でこの若き二人が夫婦となったことを認めます。では、誓いのキスを」

促され、二人は向き合う。

そして、ルーファスの手がユーリの顔を覆うベールに触れた。

ベール越しに見えるルーファスの赤い瞳は穏やかにユーリを見つめていて、その口元が喜びを露わにして笑んでいる。ユーリが愛おしくてたまらないと、その視線が伝えてくれているようで、彼女はどきどきと胸を高鳴らせながら、彼を待った。

「…………」

ベールがそっと、上げられる。

そして見つめ合う二人は、ゆっくりと唇を合わせた。

「ん……」

ちゅ、と軽く触れるだけのキス……の、はずが。

「……ん？　んん！」

深く舌を入れられ、ユーリは目を見開く。

「んんー！」

だがルーファスは容赦なく彼女の肩をがしっと摑むと、さらに舌を絡めていった。

「ん……む……やめ……やめ……て。ルーファス！」

どうにか彼の唇から逃れ、ユーリは怒りと羞恥に顔を真っ赤にした。

しかしそんな彼女の抵抗がお気に召さなかったのか、ルーファスは「どうして逃げるんです」と不機嫌顔だ。

「どうしてって、だって、神父様だっているのに！」

誓いのキスで濃厚な口付けを交わすなんておかしい！　と、ユーリは声を荒げる。

が、ルーファスはふふん、と鼻で笑った挙句、しれっとのたまった。

「神父なら、もういませんよ」

「え……？」

そんな馬鹿な、とユーリは神父が先ほどまで立っていた祭壇を見た。が、

「いない！」

ルーファスの言う通り、神父の姿はどこにも見当たらなかった。

「彼には金を握らせてありますからねぇ」

「え……？」

相手が生臭神父で助かりました、と呟き、ルーファスは困惑するユーリの肩をそっと摑むと、床に押し倒した。純白のドレスの裾が、木の床の上に花のように広がる。

「ええ!?」

金を掴ませてあるとはどういうことだ。そして自分はどうして教会の床に押し倒されているのかと、ユーリは混乱に目を白黒させる。

「ふふ……。このドレスをめちゃくちゃに乱すの、楽しみにしていたんです」

「!?」

(ま、まさか……っ)

楽しげにユーリを見つめる赤い瞳には、はっきりと欲情の色があった。

つまり彼は、初めからこの場でユーリとそういうことをするために二人だけの式を挙げると言って、神父にもあらかじめ金を握らせ、買収していたのか。

「だ、駄目だよルーファス! ここは……」

教会は神のおわす神聖な場所だ。そんな場所で身体を重ね合おうなどと、破廉恥な真似は許されない。そう、ユーリは必死に抵抗する。

だが、ルーファスにはそんな罪悪感も羞恥心も微塵も無いようで、邪魔な片眼鏡を外し、フロックコートのポケットにしまった。

「古来、男女の交わりは聖なる儀式だったそうですよ? 問題ありません。神様にも見せつけてさしあげようじゃないですか。私達の、仲睦まじさを……ね?」

そんな屁理屈を！　とユーリは心の中で絶叫する。しかしルーファスは、そんなユーリの抵抗もなんのその。

ドレスの裾に手を入れて、さわさわとユーリの太股をまさぐる。

「やっ、やめ……やめてルーファス！　やめ……ばかあああああああああああ！」

町の小さな教会に、ユーリの絶叫が木霊した。

あとがき

「はじめまして」の方も、「お久しぶりです」の方も、この本をお手にとって下さって本当にありがとうございます。

なかゆんきなこ、と申します。よく、名前をどこで切るのかわかりにくいと言われるのですが、「なかゆん」が名字のようなもので、「きなこ」が名前のようなものになります。

私は普段、某所でネット小説を書き散らかしております。今回は、それを読んでくださっていた編集Y様からお声を掛けていただき、こうして刊行と相成ったのですが、初めて連絡をいただいた時は正直、ドッキリだと思っておりました。もしくはイタズラか何かかと。半信半疑ながらネタを出し、お話を進めていく中で、イースト・プレス様の会社の電話番号からお電話をいただきようやく疑いは晴れたのですが（笑）、その後も「やっぱり面白くないから今回の話はなかったことに！」と言われやしないかとびくびくしておりました。根っからチキンなもので……

ええと、今回書かせていただいた『甘いおしおきを君に』は、元々は某所で公開しておりましたファンタジー小説の脇役のスピンオフ作品として考えていたお話になります。さわりだけ書いて公開していたのですが、今回はその設定を色々と弄って話の筋を変えたり足したり捏ねくり回して……できたお話です。

なかでも一番設定が変わっているのはヒロインのユーリです。名前はそのままなのですが、初期設定では花屋の娘ではなく鍛冶職人の娘で、自身も鍛冶職人という設定でした。さらに、髪は短いし性格は男勝りで、口調も少年のような……という設定だったのです。乙女系小説のヒロインとしては異色すぎる……ということで、花屋の娘でかつ女の子らしい性格……となったのですが、そこに辿りつくまでにも紆余曲折がありました。

「鍛冶職人は駄目かぁ……。うーん、でも、手に職を持ったヒロインを書きたい。最終的に、館の敷地内にヒロインのための店を作る、という流れにしたい……」と妙なところにこだわりを持っていた私は、「もうちょっと華やかな感じで女の子らしい職業かぁ……。そういえば、小さい女の子がなりたがるのって、お菓子屋さんかお花屋さんが多かったような……」と考えました。そこで素直に「じゃあお菓子屋さんで!」と言えば良かったものの、何を思ったか担当編集のY様に、「飴屋はどうでしょう?」と持ちかけたのです。飴屋、ええ……。「飴屋」って書いちゃうと字面がちょっとアレですよね。和っぽいですよね、洋風な世界観なのに。

ただ、私が思い描いていたのは十九世紀イギリスのキャンディショップでした。色とりどり、いろんな形のキャンディが所狭しと飾られている、小さいけれどとっても可愛らしいお店。ですが、それでもヒロインの設定としてはマイナー……というか「鍛冶職人の次が飴職人って、お前どんだけ職人が好きなの！　なんでマイナーな設定に走りたがるの！」とY様を悩ませてしまったかと思います。

そんなこんなで最終的には「お菓子屋さんよりはお花屋さんの方が医者とも関わりを持たせやすい（薬草やハーブうんぬんで）」ということで、お花屋さんに落ち着いたわけです。

設定が変わったといえば、当て馬……もとい、ライバルキャラのシーザー。彼もプロットの段階ではもう少しコメディな感じのキャラだったのですが（プロットメモには、「空気読めない感じで、ユーリと会話が噛み合ってなくて、好意が全く伝わっていない感じ」と書いていました）、いざ書いてみると……あれれ？　なんだかとってもヤンデレっぽいぞ？　と。

彼を書けば書くほど「ザ・ヤンデレ！」な感じになっていくので、「これは笑えないなあ」と思いつつ、筆の赴くままに書かせていただきました。彼の登場シーンを書いている時は、心の中で「このヤンデレストーカーめ」と呼んでいました。

そしてその「ヤンデレストーカー」よりもタチが悪いのが、今作のヒーローであるルーファスです。私の思う「執着愛」を形にした結果、このように捻くれたドS鬼畜（そして敬語）な男が生まれました。正直に言わせて下さい。こういうキャラ、大ッ好きなんです……！　ちなみに白衣も片眼鏡も好きなもので、ここぞとばかりに身に付けさせました。

ちなみに、私の書くヒーローは大抵ヒロインに尽くしたがる傾向にあるのですが、ルーファスも「貢ぎ魔」という点ではその傾向に当て嵌まっています。服や装飾品やお菓子だけじゃなく、最終的にはお店を一軒貢いでいますからね。ある意味甘々です。そういった甘いアメだけでなく、ムチも色々と……ええ、媚薬使って無理やり……とか、首絞めて脅したり、殺しかけたり……とユーリにやってくれちゃったルーファスですが、たぶんこれから最愛のユーリと一緒に暮らしていく中で、ちょっとずつ落ち着いていきます。

しかしながら、こんな男達に想いを寄せられるユーリは、「ヤンデレ・ホイホイ」だなぁとしみじみ思います。そして、カワハラ恋先生が描いて下さったユーリがあまりにも可愛らしくて、こんな可愛い子をあんな酷い目に遭わせて本当にごめんなさい！　と罪悪感から土下座したくなりました。そしてルーファスがあまりにもイメージ通り……というかそれ以上にかっこよくて、いただいたイラストを見てはニヤニヤが止まらなかったのは

私です。それから、「(挿絵の)シーザーのヤンデレ目が良いですよねー!」とY様と盛り上がったのも良い思い出です(笑)
カワハラ恋先生、とっても素敵なイラストをつけて下さって、本当にありがとうございます! 実は先生の著作のファンだったので、今回イラストの担当がカワハラ恋先生だと聞いて、すっごく嬉しかったのです。
そして、担当編集のY様。本当にお世話になりました! 設定の段階からたくさんのご助言をいただき、とても勉強になりました。最後までこの物語を書ききることができたのも、親身に相談に乗って下さったY様のおかげです。ありがとうございました!

最後に。この本をお手にとって下さった皆様へ、最大の感謝を!
本当にありがとうございました! またお目にかかれる日を、心より願っております。

なかゆんきなこ

この本を読んでのご意見・ご感想をお待ちしております。

◆ あて先 ◆

〒101-0051
東京都千代田区神田神保町2-4-7 久月神田ビル7階
㈱イースト・プレス　ソーニャ文庫編集部
なかゆんきなこ先生／カワハラ恋先生

甘《あま》いおしおきを君《きみ》に

2013年7月3日　第1刷発行

著　者　なかゆんきなこ
イラスト　カワハラ恋《れん》
装　丁　imagejack.inc
DTP　松井和彌
編　集　安本千恵子
営　業　雨宮吉雄、明田陽子
発行人　堅田浩二
発行所　株式会社イースト・プレス
〒101-0051
東京都千代田区神田神保町2-4-7 久月神田ビル8階
TEL 03-5213-4700　　FAX 03-5213-4701
印刷所　中央精版印刷株式会社

ISBN 978-4-7816-9509-9
定価はカバーに表示してあります。

Sonya ソーニャ文庫の本

『仮面の求愛』 水月青

イラスト 芒其之一